Made in Germany

1966
Peter-Winkler-Verlag, München 22, Maximilianstraße 25

Produktform   Industrial Design   Forme industrielle

Made in Germany

Peter-Winkler-Verlag München

Bearbeitung   Realization   Réalisation

Herausgeber — Editor — Editeur: Deutscher Werkbund

Schriftleitung — Redaction — Rédaction: Dr. Hans Wichmann

Redaktionsausschuß — Editorial board — Commission de rédaction: Dipl. Ing. Architekt Herbert Groethuysen, Designer Willy Herold, Prof. Dr. Ing. Architekt Paolo Nestler, Dipl. Ing. Architekt Harald Roth, Dipl. Ing. Architekt Werner Wirsing. Weiterhin Mitwirkung zahlreicher Vertreter aus Wissenschaft, Industrie, Technik und Formgebung. — With the collaboration of representatives of the sciences, industry, technology and design. — En outre coopération de nombreux représentants de la science, de l'industrie, de la technique et du stylisme.

Typographische Beratung — Typography — Typographie: Anton Stankowski

Umschlag und Einband — Jacket and binding — Jaquette et maquette de la reliure: Günter Hugo Magnus, Ernst Jünger

Englische Übersetzung — English translation — Texte anglais: Barbara Gräfin Waldstein-Wartenberg, München

Französische Übersetzung — French translation — Texte français: André Robineau, München

Inhalt   Contents   Sommaire

Vorwort Foreword Préface

„Made in Germany" ist im Ausland allgemein eine Empfehlung, denn mit dieser Bezeichnung für die in Deutschland hergestellten Erzeugnisse werden bestimmte Qualitätsvorstellungen verbunden. „Made in Germany" ist für den Käufer im Ausland nach wie vor ein Begriff. Diesen Ruf gilt es durch ständig neue Bemühungen zu erhalten. Unabhängig von den sozialpsychologischen Elementen, die sich dem Begriff beigesellt haben, wird seine positive Wirksamkeit vor allem von der Produktleistung bestimmt, mit der die entsprechende Dienstleistung, der wettbewerbsfähige Preis und die korrekte Geschäftsabwicklung parallel zu gehen haben. Mehr als in vorangegangenen Jahrzehnten ist jedoch heute die Produktleistung außer von der funktionell-technischen oder materiellen Qualität auch von der formal-ästhetischen Qualität abhängig. Das optisch wahrnehmbare Äußere eines Gerätes ist deshalb nicht nur Hülle, deren Form belanglos ist. Vielmehr sollte die äußere Erscheinung Spiegel des gesamten Produktes sein, integrierter Bestandteil desselben, und mit diesem zur eigentlichen Form verschmelzen. Erst wenn diese Voraussetzung erfüllt ist, verbindet sich auch beim Industrieprodukt die moralisch-ethische Komponente mit der technischen; erst dann ist, um ein Wort Theodor Heuss' zu zitieren, „die Qualität das Anständige".

Es ist deshalb zu begrüßen, daß von Kreisen des Deutschen Werkbundes besonders auf diese Elemente der Produktgestaltung hingewiesen wird. Das vorliegende Buch zeigt, daß eine Zahl verantwortungsbewußter deutscher Industrieunternehmen auch auf diesem Feld intensive Anstrengungen unternimmt, dem verpflichtenden Ruf von „Made in Germany" gerecht zu werden.

The label "Made in Germany" has come to be a recommendation for the foreign buyer due to its long association with the quality of goods made in this country. "Made in Germany" constitutes a guarantee all over the world. But this reputation can only be sustained by constant effort. Apart from the social and psychological associations of this particular label, its effectiveness in practice depends above all upon the quality of the product itself, but also upon proper service, a reasonable price, and correct business methods. Today, however, more than ever before, the effective quality of a product depends not only on its functional and technical efficiency allied with sound materials but also on its design. What the eye sees is not merely an outer casing of no importance. Rather, the external appearance of an article should be an expression of the article itself, an integral part of it, so that together they form a coherent whole. Only when this is achieved can an industrial product be said to combine moral and ethical elements with the purely technical. Only then, in the words of Theodor Heuss, is quality really genuine.

It is therefore gratifying to know that the German Werkbund is especially concerned with the element of design in industrial production. This book is evidence that a number of German industrial firms are conscious of their responsible task in making every effort in this field to maintain the high reputation of "Made in Germany".

«Made in Germany» joue à l'étranger le rôle d'une recommandation; car à cette désignation des produits fabriqués en Allemagne s'associent des idées très précises sur leur qualité. «Made in Germany» est une notion admise. Au service de cette réputation, il convient de mener des efforts sans relâche. Abstraction faite des éléments socio-psychologiques qui auréolent cette notion, son efficacité positive est essentiellement déterminée par la mise en œuvre, avec qui la précision de l'entretien, un prix concurrentiel et la correction des rapports commerciaux doivent aller de pair. Plus encore qu'au cours des décennies passées, la fabrication s'est mise à dépendre de la qualité esthétique et formelle, et non plus seulement de la matière ou de l'utilité. L'apparence qu'un instrument propose à la perception visuelle n'est pas que celle d'une enveloppe, à la forme insignifiante. Au contraire, elle devrait reflèter l'ensemble du produit, en être partie intégrante et inséparablement fondue à celui-ci. Il faut que cette condition soit remplie pour que le produit industriel allie facteurs moraux et techniques; c'est à ce point, pour citer Theodor Heuss, que «qualité signifie vertu».

Aussi faut-il louer l'attention portée par le Werkbund d'Allemagne à ces facteurs de la production. Ce livre montrera que nombre d'entreprises allemandes importantes, conscientes de leur devoir, s'efforcent de rendre justice à la réputation du «Made in Germany» qui, telle jadis noblesse, oblige.

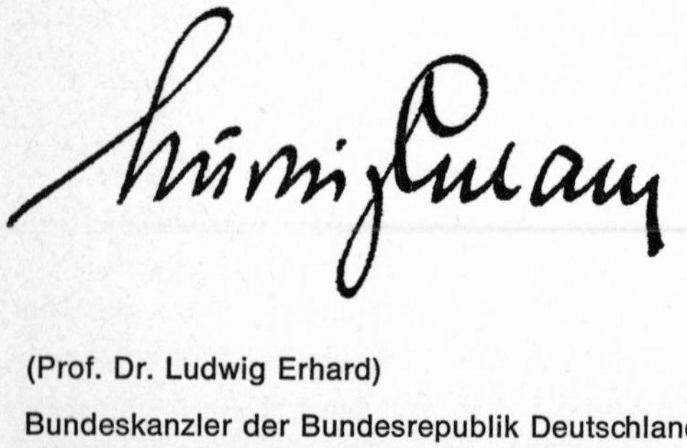

(Prof. Dr. Ludwig Erhard)

Bundeskanzler der Bundesrepublik Deutschland
Chancellor of the German Federal Republic
Chancelier de la République Fédérale d'Allemagne

8

Der Deutsche Werkbund übergibt hiermit der Öffentlichkeit eine Arbeit, die der Initiative und dem Bemühen des Deutschen Werkbundes Bayern zu verdanken ist. Über Entstehung, Schicksal und Sinn der Marke „Made in Germany" ist, um kein Selbstlob aufkommen zu lassen, einem Schweizer das Wort gegeben. Von ihm hören wir, daß wir uns nicht mit dem Ruf zufrieden geben dürfen, den eine ursprünglich diskriminierend gemeinte Herkunftsangabe sich als Gütezeichen für die Gediegenheit und das Preiswerte eines Erzeugnisses erwarb, sondern daß heute über die stoffliche Qualität einer Ware, die Zuverlässigkeit ihrer Verarbeitung und ihre Zweckdienlichkeit hinaus ihrer Formgestaltung eine entscheidende Bedeutung zukommt, nicht nur, damit dem Erzeugnis nicht Ungefälligkeit nachgesagt werden könnte, sondern weil es seinen Wert bestimmt, daß es insgesamt formerisch zur Gestalt geprägt ist.

In der vorindustriellen Zeit war das alte Handwerk menschengemäß, weil es aus naturgegebenem Stoff und mit der naturgegebenen Kraft der Menschenhand geschaffen war. Das Stilechte und Formgerechte trat deshalb gleichsam von selber ein. Die Verwandlung der Welt durch die Technik bedeutet, daß wir Vorgänge und Wirkungen künstlich auslösen können, die nicht von allein geschehen und die von ungewollten Nebenfolgen begleitet werden, die zu meistern wir erst lernen müssen. Eine dieser Nebenfolgen war, daß mangels Selbstverständlichkeit der Form jedes Maß für die Gestalt abhanden kam und der nun übermenschliche Kräfte der Technik beherrschende Mensch in seiner Unsicherheit seine Zuflucht zur verformenden Verkleidung der Dinge nahm. Das so Produzierte büßte seine Fähigkeit ein, Selbstdarstellung des Menschen zu sein. Aber der Mensch, der sein Gerät und seinen Bedarf nicht mehr menschlich gestalten kann, verliert sich selber.

In dieser Not entstand nach der Jahrhundertwende der Deutsche Werkbund zu dem Ziel, der gewerblichen Arbeit wieder den Sinn zurückzugewinnen, daß sie ein Stück Kulturarbeit ist. Das neue Thema richtete sich darauf, die Gestaltansprüche einer Welt von Individuen zu erfüllen. Das Gesetz der Serie und des Standards, unter dem jede industrielle Produktion steht, muß wieder mit der menschengerechten Form erfüllt werden, durch die sich das Inhaltliche des künstlich Geschaffenen ausprägt. Wie es gestaltet wird, ist nichts Zugesetztes, nichts bloß Beiläufiges, auch nicht nur ein ästhetischer Überschuß, sondern begründet seinen sozialen Wert und läßt das Ästhetische wieder als ein sittliches Selbstbewußtsein der Gesellschaft in die Erscheinung treten. Mit allem, womit er arbeitet, worin er verweilt und was ihn umgibt, stellt der Mensch sich selber dar.

Um diese Einsichten und Bestrebungen zu fördern, rief im Jahre 1951 auf Beschluß des Bundestages die Bundesregierung den Rat für Formgebung ins Leben, dessen Wirksamkeit, die sich weitgehend auf Werkbundarbeit stützen konnte, internationale Anerkennung — besonders auf den Triennalen in Mailand — errang. Noch aber fand der Rat für Formgebung nicht die breite und starke

Förderung, auf die er Anspruch hat, und ist noch eine Zurückhaltung gegenüber dem Gebot des Formgestalterischen zu beobachten. Unser politisches, ökonomisches und nicht zuletzt soziales Schicksal wird jedoch in der Zukunft mehr denn je maßgeblich davon beeinflußt werden, daß wir als eine Werkstätte für die Welt unser Bewußtsein dafür wecken, daß weder die stoffliche Qualität eines Dinges noch seine funktional-zweckmäßige Brauchbarkeit genügen, wenn nicht alle seine Aufgaben und Eigenschaften formerisch in seine Gestalt integriert sind. Um in dieser Richtung aus der Soliditätsmarke „Made in Germany" eine Wertmarke werden zu lassen, dazu hofft der Deutsche Werkbund durch diese Veröffentlichung beizutragen.

In this book the German Werkbund presents a work for which we must thank the initiative and efforts of the Werkbund in Bavaria. To avoid any impression of blowing our own trumpet, the task of describing the origin, history and significance of "Made in Germany" was confided to a Swiss expert. From him we learn that we cannot rest on our laurels as far as the reputation of "Made in Germany" is concerned. This phrase, originally intended to discriminate against imported goods, won for itself recognition as a guarantee of the reliability and value of the materials thus labelled. Today, however, the quality of the materials, sound workmanship and the practical utility of the product are not the only things that count; design — the outward appearance of an article — is of paramount importance, not only in order that the product shall not be said to be unattractive, but also because form and design contribute to the integrity of the whole.

Before the industrial era the craftsman used natural materials and worked with his hands, having little more than his own strength to call upon. As a result, his handiwork was human — style and form followed naturally and were genuine. The technological revolution enabled us to initiate processes and produce effects articially, with consequences which we have yet to learn to master. A far-reaching consequence was the loss of a natural sense of form. Uncertain how to handle the superhuman forces now at his command, man took refuge in disguise and distortion. The articles produced in this way no longer reflected the humanity of their creators. But when a man can no longer give a human aspect to the goods and chattels around him, he begins to lose something of his own humanity. In this sorry state of affairs, just after the turn of the century, the German Werkbund came into being with the object of restoring to commerce and industry the sense of contributing to the cultural activity of the country. The guiding thought was that form and design should meet the needs of individuals — of persons. The laws of mass-production and standardization to which every industry is subject were to be obeyed, but with a new sense of what was fitting in design for the individual human being, of the form which properly reflects the true content of the machine-made product. Nothing was to be added or constructed, nothing superfluuous or merely incidental, no mere aesthetic ornament to give it a spurious social value. The aesthetic element should once more be recognized as the expression of society's own moral awareness. The things with which he works, the surroundings in which he lives and moves and his being are witness to the man himself.

In 1951, acting on a resolution of the Bundestag, the German government set up the Council for Design to further these ideas and aspirations. The work of this Council, based largely on that of the Werkbund, has won international recognition, especially at the Triennales in Milan. Nevertheless, the Council has as yet not received the wide and strong support it deserves; there is still a certain reluctance to obey the 'commandment of design'. It is, however, a fact that our political, economic and not least of all our social future will more than ever before depend upon whether we, as a workshop for the world, can be brought to realize that material quality and purely functional utility in an article are not enough unless its whole meaning and character are expressed in its design.

It is the earnest hope of the German Werkbund that this publication will be one more step on the road to transforming "Made in Germany" from a guarantee of solid construction to a guarantee of real worth.

Le Werkbund d'Allemagne s'honore de présenter ici au public un travail dû à l'initiative et aux efforts de sa section de Bavière. Pour garantir la plus absolue des objectivités, c'est à un Suisse que celle-ci a laissé le soin de définir l'évolution, le destin et le sens de la marque «Made in Germany». L'auteur nous rappelle que nous ne devons pas nous contenter de la réputation acquise par une appellation qui, née d'une discrimination, devint ensuite symbole du mérite et de la valeur d'une marchandise; notre époque attribue en effet à la forme extérieure une importance décisive, dépassant encore celles de la qualité du matériau, de la précision de sa mise en œuvre, et de son fonctionnalisme. Et ce rôle n'est pas seulement motivé par la nécessité de rendre à tous égards le produit digne d'éloges, mais aussi parce que sa valeur profonde réside dans la forme qui lui a été donnée.

Avant l'apparition de la civilisation industrielle, l'artisanat était à la mesure humaine; il travaillait sur des matières données par la nature, à l'aide d'une force — celle de la main — qui était de même origine. L'authenticité du style, le caractère adéquat de la forme s'imposaient d'eux-mêmes. La révolution technique permet à l'homme de déclencher artificiellement des processus et des enchaînements qui ne se seraient pas produits d'eux-mêmes, et pourraient avoir des incidences inattendues, dont le contrôle est une science. Une de ces répercussions est, la forme ayant cessé d'aller de soi, la perte du sens et des proportions de celle-ci; l'homme qui disposait des forces surhumaines de la technique trouva à son incertitude un recours dans le déguisement des choses. Les produits réalisés ainsi cessèrent d'être à l'image de l'homme. Et l'individu qui ne peut plus concevoir humainement les objets qui l'entourent perd conscience de lui-même.

Cette période de décadence vit naître, au début de ce siècle, le Werkbund d'Allemagne dont le but était de rendre sa signification à l'artisanat industriel, d'en refaire un élément de civilisation. On s'efforça de tenir compte des besoins d'un monde fait malgré tout d'individualités. Les lois de la série, du standard, qui régissent toute production industrielle, doivent à nouveau se parfaire dans une forme appropriée à l'homme et caractérisant l'essence de l'objet artificiel. La forme qu'on lui donne n'a rien d'une adjonction, pas plus qu'elle n'est superfétatoire ou superflu esthétique; elle fonde bien plutôt sa valeur sociale et restitue à l'élément esthétique sa dignité de conscience morale. L'homme se figure lui-même dans ses outils, les accessoires de son séjour et de son milieu.

Pour promouvoir ces thèses et ces efforts, le Gouvernement Fédéral créa en 1951, à la demande du Bundestag, un «Conseil de la forme industrielle». Les résultats obtenus par celui-ci, qui se basaient en majeure partie sur le travail du Werbund, rencontrèrent l'estime générale — les triennales de Milan en témoignent. Il convient pourtant de constater que ce Conseil n'a pas encore rencontré les encouragements massifs et efficaces auxquels il avait droit; on continue à observer une certaine réserve à l'égard des impératifs du stylisme. Cependant, notre destin politique, économique, social surtout sera de plus en plus influencé dans l'avenir par la prise de conscience qui doit être nôtre. Si nous voulons être un des ateliers du monde, nous devons nous rendre compte que les qualités matérielles d'un objet, que son fonctionnalisme restent insuffisants tant qu'on n'en a pas intégré les particularités et le rôle dans une forme adéquate. Transformer la garantie et la solidité «Made in Germany» en une idée de valeur, c'est à quoi le Werkbund d'Allemagne voudrait contribuer par cette publication.

Dr. Adolf Arndt
Vorsitzender des Deutschen Werkbundes, Mitglied des Deutschen Bundestages
President of the German Werksbund, Member of the German Bundestag
Président du Werkbund d'Allemagne, Député an Bundestag d'Allemagne

Made in Germany
Betrachtungen zu einer nationalen Marken- und Ursprungsbezeichnung

von Professor Dr. Heinz Weinhold-Stünzi
Hochschule St. Gallen
für Wirtschafts- und Sozialwissenschaften,
Leiter der Forschungsstelle für den Handel

Entstehungsgeschichte

Denken wir heute über die Frage eines nationalen Marken- und Herkunftszeichens nach, so finden wir es keineswegs überraschend, daß eine solche Bezeichnung in englischer Sprache formuliert wird. Englisch ist in der westlichen Hemisphäre nicht nur fast überall verständlich, sondern hat in den meisten Sprachgebieten auch den Anklang der Geschäftsmäßigkeit, so daß aus der Verwendung dieser Sprache eine hervorragende Internationalität der Bezeichnung resultiert. Es würde dies darauf hindeuten, daß die Schöpfer der Bezeichnung „Made in Germany" von klugen Marktüberlegungen ausgegangen wären, welche eine größtmögliche universelle Verständlichkeit des Zeichens im Exportmarkt und unter Umständen recht erwünschte Assoziationen im Binnenmarkt betroffen hätten. Voraussetzung allerdings wäre die Überzeugung, daß es für ein Gut rühmlich sei, als „in Deutschland fabriziert" bezeichnet zu werden.
In diesen wenigen Sätzen ist schon Wesentliches aus der Problematik einer nationalen Güterbezeichnung angedeutet. Wir wollen uns allerdings noch nicht gleich diesen Fragen zuwenden, sondern vorerst im Buch der Geschichte blättern. Die Entstehung des „Made in Germany" wurde nämlich von ganz anderen Kräften geleitet, als es die oben angedeutete Hypothese vermuten ließe.
Weder stand dem Ausdruck „Made in Germany" ein Gremium weitblickender deutscher Exportkaufleute, noch eine aktive und initiative staatliche Außenhandelsstelle in Deutschland, noch irgend ein ideen- und einfallsreicher Werbe- und Marketing-Mann zu Gevatter, sondern das Urheberrecht an der Bezeichnung „Made in Germany" darf das britische Parlament für sich beanspruchen. Das entsprechende Gesetz ist bald achtzig Jahre alt und stammt demgemäß aus dem letzten Jahrhundert. Wer nun aber glaubt, daß John Bull damit seine besondere Sympathie den deutschen Vettern gegenüber ausdrücken wollte, irrt sich. Die Merchandise-Marcs-Act vom 23. August 1887 verlangte nichts weniger als die Beschlagnahmung sämtlicher aus dem Ausland nach England eingeführter Waren, sofern nicht auf der Ware oder auf der Umhüllung die ausländische Fertigung erkennbar war. Im Zeichen des damaligen harten Konkurrenzkampfes zwischen beiden sich erheblich industrialisierenden Staaten griff England zu dieser Herkunftsvorschrift, um seinen eigenen Industrieerzeugnissen einen Vorsprung im Binnenmarkt verschaffen zu wollen. In welcher Weise die Maßnahme wirklich zugunsten der englischen, einheimischen Industrie wirkte, ist nicht mehr festzustellen. Meyer's Lexikon aus dem Jahre 1927 stellt fest, daß „entgegen den Absichten des Gesetzes ... die Bezeichnung M.i.G. in Großbritannien meist als Bürgschaft für die Güte der Ware"* galt. Die deutschen Kaufleute des 19. Jahrhunderts waren allerdings noch nicht so weit aufgeklärt, sondern sie

* Zitiert nach einer Dokumentation zum Thema „Made in Germany" des Instituts für Markt- und Werbeforschung IMWI, Düsseldorf, o. J. (1962), S. 1.

empfanden das Vorgehen Englands als recht unfair und strengten deshalb eine Änderung des deutschen Warenbezeichnungsgesetzes an. Sie erreichten im Jahre 1894 die Aufnahme einer Vorschrift, nach welcher englische Waren bei der Einfuhr nach Deutschland ebenfalls beschlagnahmt werden mußten, falls sie nicht mit „Made in England" bezeichnet waren. Womit die Spieße wieder gleich lang zu sein schienen... es fragt sich nur, zu welchen Gunsten man sie verlängert hatte!

Wir können also feststellen, daß uns im Grunde genommen der Wirtschaftskampf zwischen England und Deutschland jene nationalen Ursprungs- und Herkunftsbezeichnungen beschert hat, die wir nicht nur auf den Gütern dieser beiden Länder finden, sondern auch anderer Nationen, wie z. B. „Made in France", „Made in Switzerland" usw. Als unvoreingenommene Zeitgenossen empfinden wir es heute immer mit einem gewissen Stolz, wenn wir auf einer Ware die Bezeichnung finden, daß sie von unserer Nation hergestellt wurde und müssen es nach dieser geschichtlichen Reminiszenz beinahe als eine Art Hintertreppenwitz der Geschichte auffassen, wenn die Herkunftsbezeichnungen als diskriminatorische Maßnahme erfunden wurden. Umsomehr, wenn wir beobachten, wie bestimmte Nationen Kniffe anwenden, um solche Herkunftsbezeichnungen imitieren zu können. So soll ein bestimmtes Land beispielsweise ein bestimmtes Fabrikstädtchen in „St. Gallen" umgetauft haben, um auf die betreffenden Produkte „Made in St. Gallen" schreiben zu können.

Herkunftsbezeichnung oder Markenbezeichnung?

Eine Herkunftsbezeichnung ist natürlich noch keine Markenbezeichnung. Das will besagen: Die Tatsache, daß auf einem Gut angeschrieben ist, woher es stammt, muß beim Käufer dieser Ware noch nicht unbedingt verkaufsfördernde Vorstellungen erwecken. Theoretisch betrachtet handelt es sich bei der Herkunftsbezeichnung um eine rein sachliche Information, während ein Markenzeichen dem Käufer gegenüber bestimmte Assoziationen und Vorstellungen erweckt, welche die Eigenschaften und Qualitäten eines bestimmten Produktes betreffen. Mit der Idee des Markenzeichens verbindet sich die Qualitätsgarantie und die Wertüberzeugung, geschaffen einerseits aufgrund der Vertrauensbeweise, welche der Käufer bei bereits bezogener und verwendeter Ware erlebt hat, hervorgerufen andererseits durch die Vorstellungen, welche die Markenwerbung oder andere Einflüsse im Absatzpartner verankern konnten. Die neueren Auffassungen über das Markenwesen verknüpfen die Marke stark mit dem Leitbild oder dem sogenannten Image. Ein solches Vorstellungsbild wird nun aber nicht nur durch die Ware selbst oder die begleitende Markenwerbung gestaltet, sondern resultiert schon aus der Bezeichnung. Archetypische Elemente im Unterbewußtsein des Menschen können dabei angesprochen werden. Dies trifft sowohl auf die bildlichen Markenzeichen zu (z. B. Kreuze!), als auch auf die Wortmarken. Es versteht sich von selbst, daß eine Bezeichnung, in welcher auf eine bestimmte Nation oder ein Volk Bezug genommen wird, bereits aus der Verwendung des Namens der betreffenden Völkerschaft bestimmte Vorstellungen in der Person des Lesers aufleben. Eine Herkunftsbezeichnung also, welche sich auf ein Land bezieht, wird von vorneherein nicht als rein sachliche Information darüber aufgefaßt werden dürfen, woher ein bestimmtes Gut stammt. Es ist sogar fraglich, ob eine Herkunftsbezeichnung über einen Ort der Fabrikation, mit dem sich weder geographische noch ethnische Vorstellungen verbinden können, weil er einem unbekannt ist, nicht ebenfalls schon bestimmte Stimmungen entstehen läßt. Wenn ich beispielsweise sagen würde „Made in St. Peterzell" oder „Made in Waldstatt" — um nur zwei Orte aus der näheren Umgebung St. Gallens herauszugreifen, von denen ich annehme, daß sie der Leser nicht kenne — so vermag bereits die Klangfolge oder ein Stimmungselement im Namen Vorstellungen zu erwecken, die unwillkürlich aufkreisen. Man kann dieses Phänomen an sich selbst mit Leichtigkeit feststellen, wenn man die beiden vorher genannten Herkunftsbezeichnungen auf sich wirken läßt oder wenn man sie durch einige weitere Herkunftsbezeichnungen unbekannter Worte ergänzt. Je fremdländischer dabei eine solche Herkunftsbezeichnung ist, umsomehr vermag sie die Phantasie zu beflügeln.

Aber im vorliegenden Falle ist nicht nur die Herkunftsbezeichnung als solche von Wirkung auf den Absatzpartner, sondern sie wurde auf Gütern angebracht, mit welche die Absatzpartner bereits bestimmte Erfahrungen gemacht hatten. Es schwingt also in der Bezeichnung bereits eine Vorstellung über die Qualität und den Wert der Ware mit. Auch hier kann man die rationale Komponente von der irrationalen nur sehr schwer trennen. Als rationale Komponente wären jene Elemente im Assoziationsvorgang zu bezeichnen, welche sich auf konkrete Erfahrungen mit Waren der betreffenden Herkunft stützen. „Aha, das ist ‚Made in Germany', so ein Ding hab ich schon einmal gehabt, das hat länger gehalten als andere!", wäre etwa eine solche rationale Überlegung. Als irrationales Element schwingt aber die Überlegung mit, daß an einem Produkt doch etwas daran sein müsse, wenn man es bezüglich seiner Herkunft ausdrücklich bezeichne. Das Herausreißen einer Ware aus der Anonymität der vielen übrigen Güter mit einer Bezeichnung weckt schon irrational die Vorstellung, daß da irgend etwas besser sein müsse. Hinzu kommt auch, daß der Betrachter der Bezeichnung sich unwillkürlich als Fachkundiger angesprochen fühlt, „na, du weißt doch, was ‚Germany' ist", was erfahrungsgemäß umso positiver bei all jenen Völkern wirkt, welche Bildung hoch achten.

Alle bisherigen Kräfte, welche das Vorstellungsbild einer Herkunftsbezeichnung prägen, sind deshalb zufälliger Natur, weil seitens der Anbieter nichts unternommen wird, um das Image in einer bestimmten Art und Weise zu beeinflussen.

Zu einem echten Markenzeichen gehört aber auch die Markenwerbung, die heute nicht nur auf Schaffung einer Markenbekanntheit und eines hohen Erinnerungsgehaltes hintendiert, sondern auch auf die Leitbildmanipulation. Bei einer Herkunftsbezeichnung mit nationalem Wortinhalt ist in der Regel die Markenkenntnis und der Erinnerungsgrad an sich schon recht hoch, weil es sich um Bezeichnungen handelt, die aufgrund der allgemeinen Erfahrung beim Zeitgenossen schon sehr weit verbreitet sind. Dies im Gegensatz zu Markenbezeichnungen, welche auf Phantasienamen beruhen.

Aber auch das Image ist bei nationalen Herkunftsbezeichnungen bereits ohne Markenwerbung in einer bestimmten Weise geprägt. Es stellt sich in diesem Zusammenhang die Frage, ob dieses Image, welches nur aus dem Namen des Landes allein resultiert und dem Image des „Made in..." ein Unterschied besteht oder bestehen kann. Dies ist zweifellos der Fall. Es ist durchaus denkbar, daß eine Nation ihren Nachbarnationen als Volk außerordentlich sympathisch ist, bezüglich ihres gewerblichen und industriellen Könnens aber nicht besonders hoch eingeschätzt wird. Landesprodukte aus der betreffenden Nation hingegen schätzt man beispielsweise wieder.

Diese Tatsache deutet darauf hin, daß selbst bei Herkunftsbezeichnungen, welche aus Ländernamen abgeleitet sind, eine bewußte Markenwerbung zur Schaffung eines systematisch aufgebauten Vorstellungsbildes über die betreffenden Produkte durchaus möglich ist.

Immerhin ist auf eine weitere Schwierigkeit hinzuweisen: Nationale Herkunftsbezeichnungen stellen — unter der Voraussetzung, daß sie entsprechend von Markenwerbung begleitet werden — sogenannte Gemeinschaftsmarken dar. Sie beziehen sich also nicht auf die Erzeugnisse nur eines Herstellers, sondern einer Vielzahl von Herstellern. Je größer die Zahl der Markenträger ist, umso heterogener ist selbstverständlich die Art der Güter und die Art der Produktion. Die vielfältigen Produkte können natürlich wieder zu Assoziativwirkungen führen, bei denen je nach Absatzpartner eine bestimmte Kategorie im Vordergrund steht. Ob das positiv ist oder nicht, hängt weitgehend von der Konstellation und dem Marktgewicht der einzelnen Produkte ab. Tatsache ist, daß ein sehr weites Sortiment von Produkten, welche mit der gleichen Herkunftsbezeichnung umschrieben werden, eher zu einer Verflachung des Markenbildes führt bzw. die nichtmanipulierbaren Elemente, welche aus der Assoziation mit dem Nationalcharakter entstehen, stärker in den Vordergrund treten läßt.

Aber auch die Heterogenität der Art der Produktion, d. h. die Verschiedenartigkeit der Qualitäten der einzelnen Produkte, führt zur Abwertung der nationalen Herkunftsbezeichnung. Wenn hinter einem Begriff wie „Made in Germany" sowohl sehr gute als auch durchaus mittelmäßige Waren verkauft werden, dann führt dies zunächst lediglich zu einer Abwertung der Bezeichnung. Erlebt der Käufer jedoch an einzelnen Beispielen drastische Minderqualitäten, dann schlägt natürlicherweise das Vorstellungsbild rasch in ein ausgeprägt negatives um. Je mehr die Qualitätsgarantie auf dem sachlichen Grundnutzen beruht, umso verhängnisvoller und rascher spielt sich das Umschlagen ab, weil die Verminderung des Sachnutzens meist recht eindeutig festgestellt werden kann. Stützt sich das Vorstellungsbild auf irrationalen und Zusatznutzen, dann dauert das Umschlagen erheblich länger. Hat beispielsweise eine Nation den Nimbus moderner Formgestaltung (beispielsweise skandinavische Länder), dann können einzelne merkwürdige oder auch schlechte Formen diesem Ruf nicht so rasch Abbruch tun. Verbinden sich jedoch mit den Gütern eines Landes die Vorstellungen über saubere handwerkliche Verarbeitung, über Qualität im Sinne der Dauerhaftigkeit usw., und es stellt sich in einzelnen Fällen heraus, daß gepfuscht und minderwertige Materialien verwendet wurden, dann ist der Ruf viel nachhaltiger verdorben.

Eine Markenbezeichnung ist heute, in unserer weitgehend visuell orientierten Welt, meist nicht mehr nur mit einer Wortmarke verbunden, sondern es gehört auch das Bildzeichen dazu. Dieses Bildzeichen für eine nationale Wortmarke zu finden, ist natürlich außerordentlich schwer. Eine glückliche Lösung haben die Schöpfer des schweizerischen Ursprungszeichens gefunden, indem sie eine Armbrust verwendeten, welche, wie neuere Analysen gezeigt haben, recht viele positive Vorstellungen für industrialisierte Güter zu erwecken vermag.

Markentechnische Beurteilung des „Made in Germany"

Um eine solche Beurteilung vornehmen zu können, ist es notwendig, daß wir die im vorhergehenden Abschnitt dargestellten Komponenten der Herkunfts- bzw. Markenbezeichnung analysieren. Eine solche Analyse kann selbstverständlich aufgrund von Sekundärmaterial nicht schlüssig geführt werden. Wir möchten hier deshalb lediglich aufzeigen, in welcher Art und Weise etwa das bestehende Material zu interpretieren ist und wo noch Ansatzpunkte wären, um zu verläßlichen Schlüssen zu kommen.

Es wurde festgestellt, daß ein nationales Herkunftszeichen zunächst einmal geprägt ist von den Assoziationen, welche sich aufgrund der Einstellungen der verschiedenen Nationen gegenüber dem Stereotyp „Deutscher" bzw. „Deutschland" ergeben, weiterhin, daß aber nicht nur das Vorstellungsbild über die Nation und ihre Bewohner maßgeblich ist, sondern auch die Vorstellung über das Produkt. Selbst wenn in der Analyse des Stereotyps die Deutschen beispielsweise von den Schweizern in der Nähe von Gefahr gesehen werden, so muß sich dies nicht unbedingt ohne weiteres auf das Produkt übertragen. Ja, im Gegenteil, es kann so sein, daß daraus sogar positive Komponenten für das Produkt resultieren. Wollen wir darüber Auskunft erhalten, so müssen wir Material zu Rate ziehen, welches über das Verhalten und die Einstellung der Exportpartner zum deutschen

Produkt Auskunft gibt. Darüber ist der bereits erwähnten Dokumentation zum Thema „Made in Germany", welche die Werbeagentur Dr. Hegemann in Düsseldorf zusammenstellen ließ, verschiedenes zu entnehmen. Einmal ergab eine Studie des Münchner Instituts „Infratest", daß die deutschen Produkte in Frankreich, Großbritannien, Italien, Niederlande, Schweden, USA im Sommer 1960 immer noch als solide und verläßlich in der Konstruktion gelten, hingegen als ungefällig und zu klobig, dafür aber als praktisch und brauchbar, billig bezeichnet wurden. In einer Untersuchung, welche der Verlag E. H. Martens in eigener Regie in Ägypten, Hongkong, Indien, Iran, Japan, Mexico, Pakistan, Puerto Rico, Tanganyika, Thailand durchführen ließ, stuften 51 % der Befragten die deutschen Produkte als ausgezeichnet und sehr gut ein, 41 % qualifizierten sie als gut, 2 % als durchschnittlich, 1 % als schlecht, 5 % hatten keine Meinung. Seit dem Jahre 1961 vermehrten sich jedoch die Stimmen, welche von einem Absinken der Qualität deutscher Erzeugnisse sprechen, wobei verläßliche ausländische Stimmen zu diesem Thema eher selten sind. Zuweilen wird allerdings die Qualität von Produkten aus der Bundesrepublik verwechselt mit der Qualität sowjetzonaler Güter.

Daß die Bezeichnung „Made in Germany" für die Produkte der Bundesrepublik im wesentlichen nicht mehr eine gewisse Qualitätsgarantie ausstrahle, kann mit Sicherheit nicht behauptet werden. Hingegen begegnet man relativ häufig der Rüge, daß Anfragen ungeschickt oder unpünktlich beantwortet werden, daß die Dienstleistungen zu wünschen übrig lassen und daß das Auftreten gegenüber den Partnern in den Entwicklungsländern undiplomatisch sei. Das sind Schwierigkeiten, mit denen andere Exportländer ebenfalls zu kämpfen haben. Aber auch sie wirken sich auf das Leitbild aus, das über ein bestimmtes Ursprungs- und Markenzeichen entsteht.

Eine besondere und bewußte Markenwerbung für „Made in Germany" fehlt. Die Leitbilder, die entstehen, sind also zufälliger Natur und beziehen sich auf eine sehr heterogene Art von Produktion und Qualitäten. Ansatzpunkte für eine Auslandswerbung würden zwar bestehen, werden aber meines Wissens nicht ausgeschöpft.

Zuweilen taucht die Frage auf, ob ein einzelner Unternehmer das „Made in Germany" verwenden soll oder ob er seine eigene Fabrikmarke mehr in den Vordergrund zu stellen habe. Auch ist schon ein innerdeutsches Regionalzeichen zusammen oder isoliert vom „Made in Germany" verwendet worden, so hauptsächlich der Berliner Bär. Diese Problematik stellt sich immer bei Gemeinschaftszeichen. Beim heutigen Status quo wäre ein Verzicht auf ein eigenes starkes Markenzeichen zugunsten der bestehenden nationalen Herkunftsbezeichnung falsch. Man kann das „Made in Germany" lediglich als zusätzliches Verkaufsargument mitverwenden. Man muß sich dabei aber der Gefahren bewußt sein, welche sich ergeben, wenn in der gleichen Branche oder im gleichen Exportmarkt andere Unternehmer das Zeichen verwenden und dabei nicht den eigenen Standard an Qualität erreichen. Dann könnte unter Umständen dieses Verkaufsargument sich in einen diskriminatorischen Faktor umwandeln.

Zukünftige Entwicklung eines nationalen Markenzeichens

Die Ausführungen im vorhergehenden Kapitel haben uns an den Punkt herangeführt, an welchem zu überlegen ist, ob wir in Zukunft nationale Markenzeichen für industrielle Exportprodukte weiterverwenden wollen, und wenn ja, in welcher Form. Bei diesem Problem sind die folgenden Punkte zu erwähnen:

1. Bedeutung in gemeinschaftlichen Märkten
2. Wirtschaftsentwicklung
3. Visualisierung
4. Marktstrategie der eigenen Unternehmung

Was die Frage der Verwendung nationaler Herkunfts- und Markenbezeichnungen in Märkten, welche sich internationalisieren, betrifft, scheint zunächst das nationale Herkunftszeichen überflüssig zu werden. Auf jeden Fall ist es überflüssig als jene Herkunftsbezeichnung, die ein ausländisches Produkt im eigenen Markt diskriminieren soll. Darüber hinaus wird natürlich ein geschlossenes Wirtschaftsgebilde bei den Exportpartnern je länger je mehr als geschlossener Raum aufgefaßt werden. Für den gegenwärtigen Zeitpunkt erscheint diese Geschlossenheit noch nicht vorhanden zu sein. Ergo hat die Verwendung einer nationalen Markenbezeichnung sowohl innerhalb des eigenen Marktgebietes (EWG) als auch außerhalb desselben seine Berechtigung. Es stellt sich die Frage, ob dies in Zukunft so bleiben wird. Hier müssen wir nach den Produkten unterscheiden. Nationale Herkunfts- und Markenbezeichnungen werden überall dort ihre Berechtigung behalten, wo eine spezifische Leistung erstellt wird, die der schöpferischen Kraft eines Volksstammes entspringt. Wo dies nicht der Fall ist, werden sie verschwinden. Massen- und Stapelartikel mit reinem Sachnutzen, welche aufgrund der gleichen mechanischen Ausrüstung in praktisch gleichbleibender Qualität hergestellt werden können, bedürfen in Zukunft je länger je weniger der nationalen Marken- und Herkunftsbezeichnung. Hingegen überall dort, wo es sich um Güter handelt, die durch irgendeine Art spezifiert sind (sei es durch ihre besondere Kompliziertheit, durch ihre geschmackliche Raffinesse, durch ihre besonderen Produktionsbedingungen usw.) und dadurch besonderen Zusatznutzen zu stiften vermögen, wird das nationale Markenzeichen auch in Zukunft seine Berechtigung behalten. Es wird aber diese Berechtigung nur dann behalten können, wenn es gleichzeitig gelingt, die Qualität auf hohem Standard zu festigen. Sinkt die Qualität ab, dann hat es keinen Sinn, dafür eine besondere Markenbezeichnung jedwelcher Art zu verwenden. Und hier stellt sich nun die Frage, ob die Wirtschaftsentwicklung in Deutschland einer weiteren Verwendung des Zeichens „Made in Germany günstig sei. Aufgrund der Untersuchungen, welche Dr. Heuer im Sommer 1962 durchgeführt hat *, wird erhärtet, daß „Made in Germany" heute noch als Empfehlung gilt. Dr. Heuser stellt wörtlich fest: „Es hängt wesentlich von der deutschen Wirtschaft selbst ab, wie weit dieser gute Ruf . . . auch in Zukunft gewahrt und nach Möglichkeit noch weiter gefestigt wird. Marktgerechte Qualität der Waren und Dienstleistungen, angemessene wettbewerbsfähige Preise, korrekte Einhaltung der Geschäftsbeziehungen spielen dabei eine Rolle."

Für uns besteht kein Zweifel, daß sich die deutsche Wirtschaft und Industrie weiterhin in qualitativer Hinsicht fortschrittlich entwickeln wrd. Die Konkurrenz unter den Industrieländern wird Deutschland genausogut wie die Schweiz und andere Länder dazu zwingen. Die Anstrengungen dazu liegen allerdings nicht allein beim Unternehmer, sondern auch bei den Arbeitnehmern in allen Stufen. Nicht zuletzt aber auch bei den Anstrengungen, welche seitens der Allgemeinheit für das Bildungswesen unternommen werden.

Aufgrund dieser Feststellungen — die allerdings keinen Anspruch auf Vollständigkeit erheben dürfen — kämen wir zum Schluß, daß es weiterhin wert wäre, „Made in Germany" als Verkaufsargument zu verwenden. Es dürfte damit in den Rang einer Markenbezeichnung erhoben werden, so daß dafür auch eine gewisse Markenwerbung vorgenommen werden sollte. Dazu wäre es aber notwendig, daß die Wortbezeichnung auch eine symbolhafte Bezeichnung finden könnte, so daß der Wortinhalt auch mit einem Symbol ausgedrückt würde. Dieses Problem zu lösen, erscheint mir außerordentlich schwierig. Immerhin glaube ich, daß die Visualisierung des Gedankens „Made in Germany" nicht nur gegenüber den Märkten im fremdsprachigen Ausland und in den Märkten mit großen analphabetischen Volksschichten zu empfehlen wäre, sondern überhaupt in allen Märkten, denn daraus ergäbe sich die Möglichkeit, die Vorstellungen und Assoziationen positiv zu beeinflussen. Voraussetzung wäre allerdings eine Einschränkung des Zeichens auf homogene Produktkategorien, die im Minimum einer bestimmten Qualitätsanforderung zu entsprechen hätten. Diese Qualitätsanforderung darf sich nicht nur auf das Produkt selbst richten, sondern auch auf die gesamten Marktleistungen der betreffenden Unternehmung.

Ob eine bestimmte Unternehmung das Markenzeichen — das graphisch einwandfrei visualisiert ist und durch die entsprechende Aufklärung auch positiv beim Exportpartner verankert wurde — in ihrer eigenen Marktstrategie verwendet oder nicht, hängt davon ab, ob sie als Unternehmung sich selber stark genug fühlt, um ihre eigene Marke durchzusetzen, oder ob sie darauf angewiesen ist,

* Dr. Heuer: Ergebnisse einer Expertenbefragung bei 91 Werbeagenturen in 52 Ländern, Düsseldorf 1962 (IMWI).

an einer Gemeinschaftsbezeichnung zu partizipieren. Besteht die Möglichkeit einer Gemeinschaftsbezeichnung nicht, dann ist die Ware der kleineren und mittleren Exportunternehmung in der Regel der Anonymität ausgesetzt. Sie mag unter Umständen in bestimmten und kleineren Bereichen durchbrochen werden, weil die persönlichen Beziehungen in diese Kreise hineinreichen mögen, eine breitgestreute Verbindung zwischen potentiellen Absatzpartnern und der eigenen Firma mit einer Markenbezeichnung ist aber selbst für die größeren unter den mittleren Firmen auf den Weltexportmärkten ausgeschlossen. Diese Überlegungen führen uns dazu, daß die Verwendung eines nationalen Markenzeichens, das Qualität garntiert, das Werte zu suggerieren vermag und das Vorstellungs- und Leitbilder zu schaffen vermag, auch im Interesse einer dezentralisierten und nicht übermäßig mammuthaft organisierten Industrie zu wünschen wäre. Es entzieht sich meiner Kenntnis, ob in Deutschland derartige Entwicklungen ebenfalls als richtig beurteilt werden. Für mein Land kann ich sagen, daß wir der dezentralisierten Wirtschaftsstruktur den Vorzug geben. Natürlich spielt in diesen Zusammenhängen der gegenwärtige Beschäftigungsstand der Industrie eine sehr wichtige Rolle, weshalb in allen Ländern, die im Stadium der erfreulichen Hochkonjunktur sich befinden, in diesen Dingen eine gewisse Zurückhaltung gepflogen wird. Diese Zurückhaltung erscheint mir aber in vielen Fällen marken- und werbetechnisch als unklug, denn es ist bekannt, daß Anstrengungen, wie sie der Aufbau eines Markenleitbildes bedeutet, nicht erst dann vorgenommen werden können, wenn man recht konkret darauf angewiesen ist, sondern eine solche Markenbezeichnung muß rechtzeitig und kontinuierlich gepflegt werden.

Nach wie vor halte ich es für richtig, daß nationale Herkunftsbezeichnungen zugleich auch nationale Markenzeichen repräsentieren. Die Bezeichnung sollte dann aber nicht nur aus einer Wortmarke bestehen, sondern von einer Bildmarke ergänzt und nur jenen Produkten zur Verfügung gestellt werden, die bestimmten Anforderungen entsprechen. Für das Zeichen und die entsprechende Produktion wäre dann eine angemessene Markenwerbung als Ausdruck der Garantieleistung, der Wertüberzeugung und der Leitbildschaffung zu wünschen. Die Situation für die deutsche Industrie und das deutsche Ursprungszeichen scheint mir aufgrund der verwendeten Materialien positiv zu sein und zu bleiben. Immerhin sollte der Formgestaltung und der Dienstleistung vermehrt Aufmerksamkeit geschenkt werden, denn diese Elemente werden im Markt von Morgen noch mehr als heute ausschlaggebend sein, wenn der Absatzpartner unter gleichen Konkurrenzofferten wählen kann. Daß die Konkurrenz auf den Weltmärkten kleiner werden würde, ist nicht anzunehmen.

Form und „Made in Germany"

von Dr. Hans Wichmann, München

Das Leben zu fördern, den ewigen Vollendungsgang der Natur zu beschleunigen,
— zu vervollkommnen, was er vor sich findet, zu idealisieren, das ist überall der
eigentümlichste, unterscheidendste Trieb des Menschen, und alle seine Künste
und Geschäfte, und Fehler und Leiden gehen aus jenem hervor.
Friedrich Hölderlin

I

Jeder wird sicher an sich selbst den immer von neuem bestürzenden Vorgang
beobachtet haben, daß vertraute Dinge oder Begriffe plötzlich dieser Sphäre
entgleiten und sich verfremden. Erst ein neuer Prozeß des Bewußtwerdens bringt
eine Aneignung mit sich. Dinge und Begriffe sind dann aus dem Zustand des
Naiv-Selbstverständlichen in eine neuartige Bewußtseinsstufe getreten. Phäno-
mene dieser Art treten nicht nur im Sein des einzelnen Individuums auf, sondern
ebenso in kleinen oder großen Gemeinschaften. Hier vollzieht sich dieser entscheidende, letztlich die eigentliche Zukunft des menschlichen Lebens bestim-
mende Schritt für das Gros zwangsweise. Die neue Bewußtseinsstufe wird dann
nur mit Ängsten, Nöten und Entbehrungen erreicht, ja wird mit Opfern und Ver-
lusten erkämpft werden müssen. Unser Zeitalter, das der Industrie und Technik,
hat einen dieser neuen bedeutsamen Schritte eingeleitet. Trotz ungeheurer
technischer Entwicklung und einer bereits weitgehenden Technisierung unseres
Lebens ist dieser Prozeß noch längst nicht abgeschlossen, sondern in einer fort-
schreitenden Entwicklung begriffen. Wir alle stehen also mitten in dem Vorgang,
der bis heute bereits verschiedenste gewaltige Umwälzungen mit sich gebracht
hat, denen nichts Vergleichbares in der Geschichte der Menschheit gegenüber-
gestellt werden kann. Er hat zugleich auf allen Gebieten eine für den Einzelnen
unüberschaubare Zahl von Infragestellungen vertrauter Dinge und Begriffe hervorgerufen. Alle scheinbar so festgefügten Grundlagen sind damit in einen Auf-
lösungszustand versetzt worden, auch die ethischen und ästhetischen.
In jeder früheren Periode waren die ästhetischen Empfindungen von Bedin-
gungen abhängig, die man „Politik" der handwerklichen Produktion nennen
könnte. Der Käufer hatte es, wenn er einen Gegenstand erwarb, mit einem
Menschen zu tun, der Entwerfer und Hersteller bzw. Handwerker in einer Person
war. Das Handwerk kannte zudem seine Verantwortung, die sich auch auf Werk-
wahrheit und menschliche Bindung erstreckte. Es gab Arbeitsfreude und Arbeits-
ehre. Die Verantwortung wurde also sowohl gefühlsmäßig empfunden als auch
bewußt gepflegt. Täuschung, Liederlichkeit und schlechte Form gingen gegen
Ehre und Gewissen. Unter diesen Umständen war ein Niedergang des Handwerks, eine Materialverfälschung oder eine Unverantwortlichkeit bereits im Entwurf schwierig. Der Käufer war andererseits durch seine Erfahrung eine Kontroll-
instanz. Dieser enge Kontakt versetzte auch den Handwerker in eine glückliche
Situation. Sein ästhetisches Empfinden wurde vom Käufer verstanden.

Der beginnende Industrialisierungsprozeß mit seiner modernen Massenproduktion hat diese ursprüngliche Verbindung zwischen Erzeuger und Käufer gelockert und schließlich zerstört. Erstmals in der menschlichen Geschichte übernahmen damit Industrie und Unternehmer eine Funktion, die in vorangegangenen Jahrhunderten ausschließlich der führenden Gesellschaftsschicht, dem Adel und seit der französischen Revolution dem Bürgertum vorbehalten war. Immer hatten diese Schichten aufgrund geschulter Geschmackskultur und einem sicheren Instinkt für echte Repräsentation die Leitbilder für alle Bevölkerungsschichten geprägt. Selbst in die bäuerliche Wohnung wirkte beispielsweise, wohl gewandelt und angepaßt, die verfeinerte Wohnkultur des 18. Jahrhunderts. Nach Beseitigung dieser tonangebenden Schichten und Übernahme ihrer Aufgaben durch Gruppen, die zum großen Teil für diese Verantwortung weder geschult noch aufgeschlossen waren, mußte notgedrungen ein Chaos in Geschmacksfragen entstehen, das gegen 1900 einen Höhepunkt erreichte. Krasser wirtschaftlicher Egoismus hatte die gesellschaftliche Labilität ausgenützt, um industriell produzierte Machwerke völlig unkontrolliert in einer bisher nicht gekannten Dichte unter der Menschheit zu verbreiten. Der Produzent übernahm weiterhin eine wichtige Funktion des Käufers, nämlich die der Bestellung und Bezahlung der Produktion. Damit wurde der Käufer zum heutigen Verbraucher, der am Herstellungsvorgang nicht mehr teilnimmt und nurmehr die Möglichkeit der Wahl zwischen Endproduktion besitzt. So entstand zwischen Verbraucher und Hersteller eine Kluft, die besonders für die Aufgeschlossenen beider Seiten schmerzlich sein mußte. Der Verbraucher war nurmehr in der Lage letztlich passiv durch Verweigerung des Kaufes eines Produktes seinen Willen zu äußern. Der Hersteller versuchte wiederum, durch Motiv- und Marktforschung die psychischen Reaktionen des Verbrauchers, die für die Industrie höchst unbequem und eine Quelle ewiger Unsicherheit sind, zu ertasten. Denn die Industrie der Massengüter braucht hohe Produktionsziffern, um die Investitionen in Produktionsanlagen mit Profit zu amortisieren. Eine tatsächliche Verbindung entstand jedoch auch dadurch nicht, weil Marktforschung weder eine schöpferische noch pädagogische Disziplin ist. Sie kann lediglich feststellen, was ist, nicht aber, was sein sollte. Die Kluft zwischen Hersteller und Verbraucher muß als Folge der maschinellen Massenproduktion akzeptiert werden. Sie könnte kritiklos als historische Gegebenheit hingenommen werden, wenn die industriell hergestellten Endprodukte allen an sie gestellten Anforderungen genügten. Dies ist aber nicht der Fall, da nicht allein eine Kluft zwischen Hersteller und Verbraucher existiert, sondern auch heute noch überwiegend eine Divergenz zwischen den verschiedenen Qualitätskomponenten des einzelnen Produktes selbst. Technische und formale Qualität stehen sich dann fremd oder unproportioniert gegenüber. Diese Tatsache darf jedoch nicht als unabänderlich anerkannt, vielmehr muß hier, um die neue Bewußtseinsstufe zu gewinnen, Änderung angestrebt werden, denn die

Frage: Form und Qualität ist nicht nur ein ästhetisches-technisches Problem, sondern gerade durch die Massenproduktion eine Frage der Verantwortung und damit eine soziale-ethische und kulturelle Aufgabe.

II

Der Mensch war immer um eine gute Gestaltung seines Gerätes bemüht. Es genügt ihm nicht, die Dinge seiner Umwelt nur rein praktischen Anforderungen zu unterwerfen. Sie sollen darüber hinaus auch schön sein. Ja es scheint, als ob der Mensch dadurch, daß er den Dingen ein wohlgefälliges Aussehen gibt, erst wahrhaft Besitz von ihnen ergreife. Er knüpft ein geistig-sinnliches Band zwischen sich und dem Ding, teilt sich — sein Menschliches — diesem mit.

In der handwerklichen Kultur formte diese Hand, die Immanuel Kant das äußere Gehirn des Menschen genannt hat, den Gegenstand unmittelbar. Als das Werkzeug durch die Maschine ersetzt wurde und an die Stelle der Handarbeit der Handgriff trat, setzte ein allgemeiner Formverfall ein. An ihm trägt nicht die Maschine schuld, sondern ihr falscher Gebrauch. Man sah in der Maschine ein bloßes Mittel zur Abkürzung der Handarbeit und forderte ihr deshalb Formen ab, wie sie nur das durch die menschliche Hand geführte Werkzeug hervorzubringen vermag. Ergebnis dieses Irrtums aus hilfloser Naivität waren beispielsweise die gußeisernen Kapitellchen der frühen Eisenarchitektur, die Renaissanceprofile und -ornamente an eisernen Bettgestellen und stählernen Panzerschränken (nach Hans Eckstein). Wir kennen alle noch diese Geräte. Ihre schier unverwüstlichen werkstofflich-technischen Eigenschaften haben manches unter ihnen bis zum heutigen Tag verwendungsfähig erhalten. Auf diesen Merkmalen deutscher Produkte basierte letztlich ihr Ruf und erwuchs die Bezeichnung „Made in Germany". Auch wenn diese maschinellen Produkte noch ihre zweckdienlichen Aufgaben zu erfüllen vermögen, werden sie doch dem Menschen nicht voll gerecht. Nicht werkstofflich-technische und funktionale Qualität, auch nicht formal-ästhetische allein genügt, um eine Qualitätsleistung hervorzubringen, sondern sie wird erst durch eine homogene Vereinheitlichung aller dieser erreicht werden können. Rabindranath Tagore sagt Gleiches aus, wenn er formuliert „Der ‚logische Zusammenhang', der sich in einem Verstandessatz ausdrückt, und der ‚ästhetische Zusammenhang' der Proportionen in einem Kunstwerk stimmen beide in einem Punkt überein. Sie geben uns die Gewißheit, daß die ‚Wahrheit' nicht in den Tatsachen, sondern in der Harmonie der Tatsachen liegt."

Diese Überlegungen sind nicht neu, sie haben lediglich mit dem Beginn des Maschinenzeitalters eine neuartige jeden betreffende Präsens und Aktualität erhalten. Sozial-ethische Verantwortung lag ihnen zugrunde. Sie wurden von Männern aufgeworfen, die gewillt waren, sie zu tragen und zu konkretisieren, und zwar in den Ländern, die eine starke Industrialisierung aufwiesen, in Mitteleuropa also, vor allem in Deutschland. Hier war bereits der Boden durch jene geistige und handwerkliche Erneuerungsbewegung geebnet, die ihren Ursprung in England hatte und ihren Ausdruck in den Sezessionsgründungen fand. Nur im Bereich der Sezessionsgruppen kann in diesem Zeitraum der bedeutsame Versuch beobachtet werden, die sogenannte freie Kunst mit der angewandten zu verbinden, das Bemühen also, das Leben mit der Kunst wiederum zu verknüpfen und somit die aufgerissene Kluft, das gefährliche „l'art pour l'art" zu überwinden. Die sensible, verfeinerte Atmosphäre der Jahrhundertwende hatte eine Aufgeschlossenheit für die Schönheit der verschiedenen Materialien, für ihre bestimmte Gesetzmäßigkeit, für die Proportionsnuancen bewirkt. Ein neuartiges Erfassen des Wesens bestimmter historischer Phasen ging parallel, besonders das Erkennen der zurückhaltenden Würde ostasiatischer Gerätschaften. All dies bewirkte eine immer stärkere Disziplinierung der Form, der sich homogen die Materialwirksamkeit einbindet. Diese intensiven Bemühungen um eine formale, funktionale, materialmäßige und ästhetische Verbesserung des handwerklich gefertigten Gerätes sind nur aus einem Streben nach einer das gesamte Leben erfüllenden humanen Gesittung erklärbar. Träger dieser Idee waren vor allem diejenigen, die sich um ihrer willen 1907 im Werkbund zusammengeschlossen hatten. Von allen gleichzeitigen kulturreformerischen Bewegungen unterschied sich der Werkbund einmal dadurch, daß er seine Forderungen nicht nur theoretisch postulierte, sondern durch die Arbeiten seiner Mitglieder praktisch verwirklichte und damit Beispiel gab. Diese Arbeit erstreckte sich auf die gesamte Umwelt des Menschen, fand ihren Niederschlag ebenso in der Architektur wie auch im Gerät, das klar konstruktiv-funktional ausgerichtet war, jedoch in seiner Ausgewogenheit und seinem sparsamen Schmuck höchste ästhetische Ansprüche befriedigte. Nur durch Arbeiten dieser Art, durch die Reduzierung auf das Wesentliche, die keine Purifizierung darstellt, sondern in ihrer zuchtvollen Formspannung hohe Lebendigkeit besitzt, war der Weg auch für eine Übertragung der Herstellungsvorgänge auf die Maschine möglich. Hinzu kam ein Zweites: Die gemeinsame Erkenntnis, daß sozial-ethische Forderungen vor den ästhetischen zu stehen haben. Den Männern des Werkbundes erschien es wichtiger, daß gute Geräte für weite Abnehmerkreise hergestellt würden, als kostbare Einzelstücke für nur einige vermögende Auftraggeber. Dies war aber nur mit der Maschine möglich. Nicht ihre Ablehnung konnte deshalb neue Wege weisen, sondern ihre Bejahung, und zwar unter dem der Zukunft zugewandten Gesichtspunkt: wie ihre Produktion dem Menschen funktionell und geistig dienstbar gemacht werden könnte. So schreibt Walter Gropius: „Der Künstler besitzt die Fähigkeit, dem toten Produkt der Maschine Seele einzuhauchen, seine Schöpferkraft lebt fort als lebendiges Ferment. Seine Mitarbeit ist nicht Luxus, nicht gutwillige Zugabe, sondern muß unentbehrlicher Bestandteil in dem Gesamtwerk der modernen

Industrie werden ... Es genügt nicht, Musterzeichner zu dingen, die gegen geringes Monatsgehalt täglich sieben bis acht Stunden ‚Kunst' erzeugen sollen, ihre mehr oder minder geistlosen Entwürfe in tausenden von Exemplaren auszuführen und über die Welt verstreuen zu lassen ... Genauso wie technische Erfindungen und kaufmännische Regie selbständige Köpfe verlangen, fordert die Erfindung neuer beseelter Formausdrücke starke Künstlerkraft, künstlerische Persönlichkeit ..." Und Peter Behrens: „Es ist nicht richtig, wenn man sagt, das Publikum verlangt diesen oder jenen Geschmack und bezahlt dafür nur diesen oder jenen Preis. Das Publikum ist in der großen Masse indifferent und kauft das, was zu haben ist und was ihm mit Nachdruck angeboten wird. Die geschmacklose Ware entsteht durch die Diktatur des Geschäftsreisenden, der die Waren bestimmt und dem Verkäufer liefert. Aber wie viele Menschen gibt es, die nach edleren, meistens einfacheren Formen suchen und sie nicht finden ..."

Der ideelle Sinn des gemeinsamen Handelns klingt besonders in folgenden Sätzen Richard Riemerschmids auf: „Es ist ganz falsch, daran zu zweifeln, daß in allen Schichten bis zum letzten Hilfsarbeiter herunter zum wenigsten Spuren da sind von dem Gefühl, daß das Schöne wert ist, geschaffen zu werden, sogar durch Mühe und Entbehrungen erkauft zu werden, daß aber sinnlose, geschmacklose, unwertige Arbeit keine Mühe, kein Opfer wert ist. Spuren von Handwerksstolz und Berufsstolz, von diesem besten Nährboden für alle guten Regungen, sind auch beim letzten Arbeiter vorhanden, aber aus diesen Spuren eine wirkliche Freude an der Arbeit zu entwickeln, das gelingt freilich nur der liebevollen Gesinnung, die über dem Ganzen ausgebreitet ist wie eine freundliche, fruchtbare Atmosphäre."

Diese Zitate – Beispiele aus einer Fülle von Äußerungen – mögen die publizistischen Bemühungen zur Durchsetzung der Überzeugung andeuten. Daneben wurde aber auch hier der unmittelbare Weg der Praxis beschritten. Neben den künstlerisch tätigen Gründungsmitgliedern des Werkbundes hatten sich ebensoviele Industrielle mit den Zielen solidarisch erklärt. In ihren Betrieben bot sich das Feld der Anwendung. Peter Behrens gelang es zudem, durch die Großzügigkeit und Weitsicht Emil und Walter Rathenaus bereits 1907 beginnend Produkte und Architektur der Großfirma AEG künstlerisch zu beeinflussen. Seine Mitarbeit erstreckte sich nicht nur auf den Entwurf von Zeichnungen, sondern er gestaltete mit Konstrukteur, Produktions-Ingenieur und Betriebsleiter Erzeugnisse des Betriebes und prägte zudem das „graphische Gesicht" der Firma. Er war der erste künstlerische Mitarbeiter in einem Großbetrieb, der erste „Formgeber", oder besser bezeichnet, der erste „industrial designer". Sein Beispiel war Ausgangspunkt für die Bildung einer völlig neuen Berufsgruppe, die mehr und mehr ein unentbehrlicher Bestandteil der heutigen Industriegesellschaft geworden ist. Peter Behrens hatte damit, ebenso wie Henry van de Velde, Richard Riemerschmid, Mies van der Rohe und Walter Gropius, Pionierarbeit geleistet und sich seinen Markt selbst geschaffen. Sie alle waren daneben nicht nur Heranbilder von Gestaltern, sondern zugleich durch ihre Schriften Erzieher des Volkes. So riefen sie Verlangen und Nachfrage, die nicht allein kommerziell zu werten sind, nach einer besser gestalteten Umwelt hervor (nach J. Ernst) und wurden zu neuen Mittlern zwischen dem Verbraucher und Produzenten.

III

Nach diesen Anfängen bewußter industrieller Formgebung vor rund zwei Generationen hat sich heute in allen Industrieländern der Erde die Überzeugung vermehrt, daß die gestaltende Arbeit ein volkswirtschaftlicher Faktor ersten Ranges ist, der auch und gerade in der rationalsten Wirtschaft nicht übersehen werden darf. Auch die volkswirtschaftliche Wissenschaft schenkt seit jüngster Zeit dieser Frage stärkere Aufmerksamkeit und bezieht damit irrationale Elemente, die letzlich der Beurteilung der Form anhaften müssen, in die rational erfaßbaren Fakten der Wirtschaft ein. Mit den Begriffen rational und irrational sind die beiden Pole angedeutet, zwischen denen sich Formgebung letztlich bewegen muß. Unabhängig von den vielen zwischen diesen Polen möglichen subjektiven Formulierungen kann man deshalb als das Wesen industrieller Formgebung die harmonisch sinnvolle Verbindung beider Elemente ansehen. In der Überbrückung der naturgegebenen Gegensätze zwischen Technik und Form liegt also die Anforderung und auch der Schwierigkeitsgrad der Aufgabe. Dadurch bedingt werden Ergebnisse nie mit der landläufigen Vorstellung „Kunst" gemessen werden dürfen; denn „Industrieerzeugnisse entstehen nicht in der Abgeschlossenheit von Atelier und Werkstatt, sondern in Fabriken als gemeinsame Leistung aller am Werk Beteiligten. Kunstwerke entstehen so nicht. Dennoch sprechen wir hierbei vom künstlerischen Beitrag, um anders nicht Erklärbares begrifflich zu umreißen" (W. Wagenfeld).
Industrieprodukte guter Form sind unauffällig, der Spielraum individuellen Ausdrucks ist gegenüber vorangegangenen Jahrhunderten äußerst reduziert. Es ist ihnen das gleiche Wesen eigen wie den vielen Gebrauchsgütern vorindustrieller Kulturen, deren Formung zumeist schmucklos der Funktion folgt und deren Produktion neben den Werken der jeweiligen Hochkunst — nur in ihrem Spiegel wird heute die jeweilige Epoche gesehen — parallel lief. Geräte dieser Art erhoben keinen Repräsentationsanspruch; sie waren gebrauchstüchtig, wahrhaftig. Merkmale dieser Haltung haben sich auch in verschiedenen technischen Produkten der frühen Industrialisierungsphase erhalten, und zwar nur dann, wenn ihnen kein „Geltungsnutzen" abverlangt wurde. Zu dieser formalen Haltung gilt es, durch die Formgebung eine geistige Brücke unter Berücksichtigung der rationalen Forderungen der Wirtschaft zu schlagen. Die Forderungen sind klar fest-

gelegt. Der eigentliche Zweck jeglicher unternehmerischer Tätigkeit: Güter herzustellen, muß rentabel, eine gewinneinbringende Absatzmöglichkeit muß ge-
währleistet sein. Das Gesetz der Ordnung und Sparsamkeit waltet in einem
Betrieb, es ist letztlich auch das des Formgestalters. Diese Welt wird nur dann
für ihn ein fruchtbares Tätigkeitsfeld sein, wenn er eine enge Fühlungnahme mit
dem Konstrukteur, der Fabrikationsleitung, dem Meister und dem Mann an der
Werkbank herzustellen vermag, ebenso wie mit dem Leiter der Marktanalyse,
der Verkaufs- und Werbeleitung. Nur wenn er sich in diesem Fall vielfältigster
Bindungen zu integrieren vermag, wird er harmonische Formen mit den gering-
sten und einfachsten Mitteln zu erzielen vermögen; denn industrielle Formgebung bezieht sich nicht nur auf die sichtbare Erscheinung des industriell hergestellten Gegenstandes, ist keine „Hüllenmacherei" (W. Wagenfeld), sondern
umschließt gleichzeitig die Forderungen nach Preiswürdigkeit sowie nach wirtschaftlicher, material- und funktionsgerechter Herstellung der Produkte. Die
Form soll sich aus dem technischen Aufbau und der Zweckbestimmung des
Produktes entwickeln und ist somit von objektiven Gegebenheiten abhängig.
Dieser Integrationsprozeß von technischen und gestalterischen Forderungen ist
nach Fritz Eichler (Form 1963, Nr. 23) ein äußerst diffiziles und schwieriges
Problem. Es entsteht immer dann, „wenn zwei Menschen schöpferisch an einer
Aufgabe arbeiten und von verschiedenen Ausgangspunkten her zu einer gemeinsamen Lösung kommen sollen. Gerade bei technisch komplizierten Geräten
können sich beide die Arbeit und das Leben schwer machen: der eine, indem er
starr auf einer einmal gefundenen konstruktiven Lösung beharrt und sie gegen
alle neuen Ideen und berechtigten Forderungen mit dem entwaffnenden Argument abschirmt: ‚das geht technisch nicht'; der andere, indem er sich in rein
formale Wunschvorstellungen verrennt und dann Forderungen stellt, welche die
technischen Gegebenheiten und Möglichkeiten nicht berücksichtigen und die
dann wirklich ‚technisch nicht gehen'. Aber auch bei gegenseitiger Bereitschaft
bietet dieses Stück Abenteuer, das jede komplizierte technische Entwicklung
darstellt, allein im Sachlichen genug nicht vorausberechenbare Schwierigkeiten
und Überraschungen, welche die oft schon weit gediehenen Arbeitsergebnisse
des Produktgestalters zunichte machen können und dann zu Reibereien
führen. Hinzu kommt die menschliche Seite. Gerade der Entwicklungstechniker
ist über seine rein fachliche Leistung hinaus an dem Produkt interessiert. Er
betrachtet es als sein Kind und Eigentum, das er nicht gern, schon gar nicht mit
einem Außenstehenden teilen möchte. Er wünscht, daß es Erfolg hat und betrachtet als Voraussetzung dafür, daß es ‚schön' ist. Schön ist das, was ihm
gefällt, was seinem Geschmack entspricht. Daß der Geschmack des Produktgestalters oft ein grundsätzlich anderer ist — ist nur allzu naheliegend . . ." Be-
gegnen sich doch zwei Aufgabenstellungen, die jeweils andere und spezielle
Begabungen verlangen. „Einmal eine sehr hohe technische und konstruktive

Befähigung, das andere Mal eine auf die menschbezogene Funktion ausgerichtete konstruktiv-formale, zu der psychologisches Einfühlungsvermögen und, um gleich zwei oft mißbrauchte und daher verpönte Begriffe auf einmal zu verwenden, künstlerischer Geschmack gehören. Künstlerischer Geschmack — ist nicht nur angeborene, sondern auch entwickelte Begabung; entwickelt durch dauernde und systematische Beschäftigung mit formal-ästhetischen Problemen an Hand von realen Aufgaben, durch langjährige, mit diversen Irrtümern durchsetzte Erfahrung und mit dem Ziel, von rein subjektiven zu möglichst objektiven Wertungen zu gelangen. Wer es wirklich weiß, wird bescheiden."

Diese Äußerungen eines Sachkenners mögen die innere und äußere Problemsituation, in welcher der Formgestalter seine Aufgaben durchzuführen hat, andeuten. Sie wird durch das Hinzutreten weiterer wirtschaftlicher Faktoren noch komplizierter. Aus ihr leitet sich einmal das Berufsbild, daneben die Breite des Arbeitsfeldes ab. Die von Raymond Loewy erhobenen Ansprüche: der Formgestalter solle Eigenschaften eines Schiffsbauers, Dekorateurs, Psychologen, Künstlers, Typographen, Ingenieurs aller Sparten, Chemikers, Physikers, Materialfachmannes, Verkäufers und vor allem Geschäftsmannes besitzen, sind natürlich völlig utopisch. Voraussetzung sind jedoch gestalterische und organisatorische Fähigkeiten, hoher künstlerischer Geschmack und ein sowohl technisches wie psychologisches Einfühlungsvermögen neben einer besonderen Charakterfestigkeit; denn nur diese bewahrt ihn, bei der notwendigen Einordnung persönlich-schöpferischer Wünsche unter sachbezogene und damit wirtschaftliche Notwendigkeiten, vor der ständigen Gefahr, „einer künstlerischen Korruption zu verfallen" (Braun-Feldweg). Entsprechend diesen vielfältigen Anforderungen ist das Feld der Gestaltungstätigkeit ungemein weit. Der Formgestalter wird sich weder als freier Mitarbeiter einer Fabrik noch als Angehöriger eines betriebsinternen Gestaltungsbüros nur darauf beschränken dürfen, seine Tätigkeit ausschließlich auf einzelne Podukte zu konzentrieren. Es kann ihm letztlich nicht gleichgültig sein, wie beispielsweise diese Produkte verpackt, wie sie ausgestellt oder verkauft werden, wie für sie geworben wird und in weiterem Sinne, in welcher Umwelt sie hergestellt werden. Es leitet sich also aus einer bestimmten Produkthaltung auch das „Gesicht" einer Fabrik ab. Beide stehen in einer wechselseitigen Beziehung. Kein künstlerischer Mitarbeiter eines Betriebes wird jedoch in der Lage sein, allein all diesen vielfältigen Aufgaben gerecht zu werden. Besonders in einem Großbetrieb ist deshalb eine Aufgabenverteilung auf mehrere Schultern erforderlich. Mit dem Produktgestalter werden Architekt und Gebrauchsgraphiker eine gleiche Ziele verfolgende Arbeitsgruppe bilden. Eine gewisse Spezialisierung muß also in diesen Fällen akzeptiert werden, die natürlich niemals zur völligen Einseitigkeit führen darf. Auch dann ist der mögliche Aufgabenbereich des Produktgestalters noch groß; denn Produktgestaltung kann sich auf alle diejenigen Güter erstrecken, die durch Be- und Verarbeitung gekennzeichnet sind. Sie konzentriert sich heute besonders auf Gebrauchs- und Verbrauchsgüter des täglichen Bedarfs, auf Güter also, die eine enge Beziehung zum Menschen aufweisen, daneben aber auch auf rein technische Produkte, wie Motore, Drehbänke, Pressen, Krane usw. Sie umfaßt damit das Gewerbe im weitesten Sinne, sowohl Industrieerzeugnisse wie auch solche des Handwerks, dessen typische Herstellungsmerkmale sich mehr und mehr denen der Industrie angleichen. Auch diese Aufgliederung in handwerklich-manufakturelle und technische Formgestaltung fördert den Spezialisierungsprozeß, ohne jedoch die Bereiche der auch in anderen geistigen Disziplinen notwendigen Spezialisierung überschreiten zu müssen. Eine Gefährdung muß dadurch nicht erwachsen. Für die Erreichung der Ziele ist die unternehmerische Initiative und Verantwortung von weit größerer Bedeutung.

Es besteht heute allgemein kein Zweifel darüber, daß die Industrieerzeugnisse, besonders die in Massen gefertigten Produkte, ein wesentlicher Maßstab für den kulturellen Stand eines Landes darstellen. Wenn jedoch andererseits festgestellt wird, „die Industrie hatte und hat auch heute noch mancherorts zu wenig kulturelles Gewissen" (Prinz Ludwig von Hessen und bei Rhein), so ist Abhilfe nur bei den Unternehmern selbst zu erhoffen; denn sie sollten das „wie" und „was" der Produktion mitbestimmen. Die These, „der Markt verlangt das", ist für denjenigen Unternehmer, der sich für Formgebung einsetzt, nur ein bedingt verpflichtendes Argument; denn Formgebung will aktiv auf die qualitative Bedarfsgestaltung Einfluß nehmen. Aufgabe des Unternehmers sollte es deshalb sein, Produkte herzustellen, die im Rahmen der Marktwünsche überzeugen und zusätzlich das kulturelle Anliegen verwirklichen. Sie muß vom ethischen Gesichtspunkt als verfehlt angesehen werden, wenn Formgebung nur als Gelegenheit angesehen wird, rasch kommerziellen Erfolg zu erzielen. Vielmehr verlangt die Aufgabe eine neue Denkrichtung und den festen Willen, den Weg unbeirrt mit Zielstrebigkeit und Geduld zu beschreiten (nach R. Dirkmann).

Dank der gestaltenden Arbeit in der Industrie, dank der Aufgeschlossenheit einiger Unternehmer und der langjährigen Erziehungsarbeit besteht heute nicht nur eine größere Aufgeschlossenheit für zeitgemäße Formen, sondern ist auch „die Form" zu einem wichtigen Verkaufsargument geworden. Wohl ist dies zu begrüßen, dennoch erwachsen den Bestrebungen auch dadurch neue Erschwerungen. Die Argumente der Beurteilung sind längst von Werbeleuten abgewertet worden. Eng verknüpft ist damit die Einbeziehung „der Form" in den industriellen Verschleißprozeß. Die Sucht nach dem jährlich „neuen Modell" ist ein Symptom der Überflußwirtschaft. Sie läuft dem Gesichtspunkt der zeitlosen Gültigkeit guter Formen völlig entgegen, erwächst aus Spekulation auf neuen Gewinn und nährt sich von primitivem Fortschrittsglauben. Styling, künstliche Veralterung oder Formabwandlung ohne innere Notwendigkeit sind die Folge. Ein weiterer Feind des nützlichen, gebrauchstüchtigen, preiswerten und schönen Gegenstandes ist das Plagiat. Der verantwortungslose Industrielle, der kein Risiko eingegangen ist, der keine Entwicklungsarbeit geleistet hat, zieht aus den Bemühungen der Verantwortungsbewußten und Wagemutigen sowie der ideellen Förderer klingenden Nutzen. Dadurch werden zwar die Bestrebungen um die gute Form erschwert, jedoch zeigt sich in diesen Auswüchsen zugleich ein gewisses Durchsetzen der Bemühungen; denn Tatsache ist, daß sich gerade das Konsumgüterniveau in den letzten Jahren gehoben hat und daß alle diese Produkte von jedermann erworben werden können.

IV

Die letzte Feststellung lenkte das Thema auf die Funktion der Formgebung im Bereich des Absatzes. Unter den vielfältigen Merkmalen moderner Absatzwirtschaft wird vor allem die Formgebung Mittel der Produktdifferenzierung sein, neben ihrem Einfluß auf alle anderen Wettbewerbsfaktoren. Starke Produktdifferenzierung tritt als absatzwirtschaftliche Möglichkeit nur in hochindustrialisierten Gesellschaften auf, und zwar dann, wenn das überreiche Angebot auf Grund einer gewissen technischen Perfektion einen hohen materiellen Entwicklungsgrad erreicht hat. Wenn sich also Produkte in diesem Bereich mehr und mehr angleichen, werden im Wettbewerb die technischen Faktoren als qualitatives Unterscheidungsmerkmal nicht mehr ausreichen. Der Unternehmer wird zwangsläufig nach neuen Produkteigenschaften, die sein Erzeugnis von anderen abheben, suchen. Produktgestaltung ist sicher auf diesem Wege ein Mittel, um eine Differenzierung zu erreichen. Sie erwächst dann aus dem Zwang des Konkurrenzkampfes. Von rein wirtschaftlichen Gesichtspunkten mag diese durch äußere Faktoren oktroyierte Einbeziehung der Formgebung einleuchten, jedoch wird man dadurch dem eigentlichen Wesen der Formgebung nicht gerecht, weil die sozial-ethischen Aspekte, die letztlich der Aufgabe innewohnen, unberücksichtigt bleiben. Wohl wird durch Produktdifferenzierung mit Hilfe der Formgebung das Angebot erweitert, die Freiheit der Wahl zwischen Produkten unterschiedlichen Charakters kann dem Menschen eine neue Bestätigung seiner Individualität bedeuten und kann einen Ersatz darstellen für die in der modernen arbeitsteiligen Produktionsmaschinerie eng begrenzte und teilweise verlorengegangene persönliche schöpferische Entfaltungsmöglichkeit, zugleich wachsen aber ohne das Regulativ einer auch ethischen Verantwortung die bereits oben angedeuteten Gefährdungen an. Wir wissen alle, daß die Industrie eines technisch weit entwickelten Landes mit einem Bruchteil ihrer Kapazität fähig wäre, den lebensnotwendigen Bedarf zu decken. Wenn es deshalb gelingen würde, die verfügbaren Kräfte zu Gunsten eines wertvollen, trotz einer gewissen Demokratisierung der Bedürfnisse uneingeengten Angebotes einzusetzen, könnte sich das Verständnis für Qualität im umfassenden Sinne in immer weitere Kreise ausbreiten. Nachdem sich Qualität nicht nur auf die objektiv feststellbaren Eigenschaften des Produktes, sondern ebenso auf seine Nutzungswerte bezieht, wohnt folglich Qualitätsgütern eine hochgradige Nutzungsstiftung inne, die in positiver Weise das individuelle und gemeinschaftliche Leben beeinflussen muß. Da weiterhin im Wesen der Formgebung Produktauslese und günstige Produktionsbedingungen begründet sind, mußten — wie dies zum Teil zu beobachten ist — als deren Folge die Wettbewerbsfähigkeit gestalteter Produkte verbessert und damit Preissenkungen gegeben sein. Allein durch die Andeutung dieser wenigen Fakten wird deutlich, daß Formgebung heute als integrierter Bestandteil eines Gutes ein wichtiger absatzwirtschaftlicher Faktor aller Industrieländer und damit auch Deutschlands ist. Für Deutschland und all diejenigen Länder, die auf den Absatz ihrer Waren im Ausland, auf Export also, angewiesen sind, hat dieses Problem höchste, ja lebenswichtige Bedeutung. Seit dem Ende des Ersten Weltkrieges ist es eine sattsam bekannte Tatsache, daß ein Land mit knappen zum Teil teuer im Ausland gekauften Rohstoffen wie Deutschland die Ausfuhr von wertvollen Dingen anstreben muß, bei denen der Wert der aufgewandten Arbeit im Verhältnis zum Rohstoff hoch ist. Produkte hohen Arbeitswertes gestatten eine höhere Einfuhr von Rohprodukten. Es ist auch bekannt, daß es für das kulturelle Ansehen eines Landes besser ist, hochwertige Erzeugnisse auszuführen als schlechte. Das bedeutet Export von Qualitätsgütern, deren Eigenschaften schon im Vorangegangenen untersucht wurden. Voraussetzung einer solchen Ausfuhr ist jedoch, daß ebenso wie bei jedem Einzelkauf eine Verbindung zwischen demjenigen Hersteller und demjenigen Käufer hergestellt wird, die eine gemeinsame geistige Grundlage haben oder für die der Hersteller durch Anpassung eine gemeinsame geistige Grundlage schafft. Qualitätsausfuhr ist dann nur dorthin möglich, wo auch Qualitätswaren verlangt werden. Diese Länder sind jedoch bestrebt, Güter dieser Art selbst herzustellen und sie nicht einzuführen. Diese Tendenz wird aber dann durchbrochen, wenn ein Land auf bestimmten Gebieten Spitzenleistungen aufzuweisen hat, die von anderen Ländern durchschnittlich gleichen Formwillens nicht erreicht werden. Nur hierin liegt die Chance eines auch künftigen regen Exports, zumal die zunehmende Liberalisierung sowohl des europäischen wie auch des Überseemarktes zu einem sich ständig steigernden Wettbewerb führen muß, der sich gleichzeitig auf Leistungen und Preise richtet, und nur ausgesprochene Spitzenleistungen können damit rechnen, Preise zu bestimmen. Ihre Voraussetzung in der Ausfuhr ist ein innerer Markt, der den schöpferischen Kräften Anregung und Aufgabe bietet und zugleich den fruchtbaren Boden der Erprobung darstellt.

Neben dem Wettbewerb der Industrieländer um die gute Form auf ihren eigenen Märkten, bleibt natürlich der Markt mit all denjenigen Ländern bestehen, die zum Teil von völlig anderen Lebensgewohnheiten und Formvorstellungen ausgehen. Die deutsche Industrie und ihr Exporthandel waren dafür bekannt, daß sie sich gerade auf den asiatischen und afrikanischen Kontinenten diesen fremden Bedürfnissen besonders gut anpaßten. Auch hier wird es bei dem energischen Bestreben der verschiedenen Staaten, sich rasch dem Gesicht der Industrieländer anzugleichen, einmal bedeutsam sein, das Image des Auslandes an das unsere heranzurücken, andererseits im Außendienst Leute einzusetzen, die den Marktgegebenheiten Rechnung tragen und ein psychologisches Einfühlungsvermögen besitzen. Es ist in diesem Zusammenhang für eine auf Qualitätsausfuhr gerichtete Handelspolitik erforderlich, die entwicklungsfähigen Auslandsmärkte hinsichtlich ihrer Aufnahme von Waren neuen Formwillens systematisch zu erforschen; denn überall dort, wo es gelingt, gestaltete Produkte abzusetzen, wird ein Stützpunkt für den Handel der Zukunft erworben (nach E. Meissner).

Deutschland war vor 1933 auf dem Wege, eine führende Position auf dem Felde der Formgebung einzunehmen. Der beste Beweis dafür ist die Reaktion Englands auf die Werkbundbewegung, schrieb doch unter anderem Clutton Brock 1916: „... Der deutsche Erfolg auf diesem Gebiet ist keiner des bloßen Wettbewerbs. Die Deutschen haben ihn errungen, nicht weil ihr Auge auf uns gerichtet war, sondern weil sie auf die Sache sahen. Und was uns nottut, ist, mehr ihre geistige Haltung als ihre Erzeugnisse nachzuahmen ..."

Der deutsche Ruf auch auf diesem Felde ist nicht erloschen, er ist zwar im alten Sinne noch nicht wieder erreicht, kann aber neu belebt werden. Der deutsche Beitrag zur guten Form des Produktes liegt nicht so sehr im Phantasievoll-Außergewöhnlichen, sondern mehr im Gediegenen, Gebrauchstüchtigen, Ordentlichen. Vielleicht vermißt man im Durchschnitt eine gewisse konstruktive Eleganz, der Mangel wird aber wettgemacht durch die leicht asketisch anmutende Strenge, die die besten deutschen Erzeugnisse erkennen lassen, und die einen gewissen Schutz gegen den so gefährlichen Modernismus darstellen könnte. Gut gestaltete deutsche Güter spiegeln damit auch in ihren formal-ästhetischen Eigenschaften gewisse positive Merkmale der rein rational meßbaren Qualitätskomponenten wider, auf die sich ursprünglich die allgemein übliche Verwendung von „Made in Germany" bezogen hatte. Dies ist eine Bestätigung dafür, daß die zu Anfang erhobene Forderung nach Integrierung von materialmäßig-technischen und formal-ästhetischen Werten keine Utopie zu sein scheint, sondern im Gegenteil bereits praktisch auch in Deutschland in zahlreichen Beispielen verwirklicht ist. Andererseits darf nicht übersehen werden, daß auch heute noch die Suggestivkraft von „Made in Germany" im überwiegenden Maße von den rational erfahrbaren Eigenschaften eines Produktes bestimmt wird. Umfragen bestätigen dies. Aus ihnen geht hervor, daß man im Ausland besonders gern für deutsche Investitionsgüter wie Maschinen oder Werkzeuge, für Gebrauchsgüter wie Automobile, Foto- und Rundfunkgeräte oder Schreibmaschinen wirbt, nicht aber in gleich aufgeschlossener Weise für Verbrauchsgüter, bei denen gerade die formal-ästhetischen Werte stark in Erscheinung treten, ja ein Übergewicht besitzen können. Dies zeigt einerseits, wie zählebig vorgefaßte Vorstellungen fortzuwirken vermögen, andererseits aber, daß gerade auf dem Sektor der Verbrauchsgüter-industrie besondere Anstrengungen unternommen werden sollten, diese Meinung durch immer neue Hinweise auf vorhandene gute Erzeugnisse und durch weitere Qualitätsvermehrung zu revidieren.

Generell kann abschließend festgestellt werden: „Made in Germany" als Symbol einer bestimmten Erzeugungsqualität ist auch heute noch — wenn auch von Land zu Land, von Branche zu Branche, von Produkt zu Produkt verschieden — ein Verkaufsargument. Diesen Stand gilt es zu halten. Er kann im Hinblick auf die fortschreitende Marktliberalisierung und den damit verstärkten Wettbewerb nur durch Leistungssteigerung gesichert werden, die dann alle mit dem Begriff verknüpften Faktoren umfassen muß, ebenso die entsprechende Dienstleistung, den wettbewerbsfähigen Preis, die korrekte Geschäftsabwicklung wie auch die Produktleistung selbst, zu der heute in stärkerem Maße als in vorangegangenen Jahrzehnten auch die Form gehört. Ihre Vernachlässigung kann, wie an zahlreichen Beispielen nachzuweisen ist, zum Verlust breiter Marktanteile führen, ihre Pflege neue Märkte erschließen und damit unabhängig von rein rational-wirtschaftlichen Erwägungen Werte vermitteln, die nationalen oder rechnerischen Erwägungen enthoben sind und der psychischen Existenz des Menschen zu dienen vermögen. Denn es ist allgemein bekannt, daß die Umwelt den Menschen tiefgreifend zu beeinflussen vermag. Es kann deshalb nicht gleichgültig sein, mit welchen Dingen er sich umgibt oder umgeben wird, nicht gleichgültig, ob diese gut oder schlecht sind. Auch ihre Einwirkung wird dann positiv oder negativ sein müssen. Deshalb leistet jedes Land und jeder Industriebetrieb, der sich um Qualität im umfassenden Sinne bemüht, einen Beitrag zur Verbesserung unseres Lebens. Auch der folgende Bildteil soll in erster Linie in diesem Sinne aufgefaßt werden. Er will den deutschen Beitrag auf dem Gebiet der „guten Form" in einigen Beispielen verdeutlichen.

Made in Germany
Some Reflections on National Trade Marks and Marks of Origin
by Professor Dr Heinz Weinhold-Stünzi, St Gall

How National Marks of Origin developed

When we think about the marking of merchandise with its country or place of origin it does not nowadays strike us as odd that the language used should be English. Not only is English almost universally understood in the Western Hemisphere, it is also generally accepted as the language of commerce. Thus trade marks in English have a truly international character. This might lead us to think that the use of the phrase "Made in Germany" came about as the result of a judicious study of the various markets and an appreciation of the advantages of using a phrase universally understood abroad yet at the same time having desirable associations for the home market — it being assumed, of course, that the fact of being "Made in Germany" enhanced the reputation of the goods concerned.

These preliminary observation already indicate the basic problem underlying the whole question of national markings on manufactured goods. However, let us leave the various questions involved for the moment and first look back in our history books where we shall see that "Made in Germany" owes its origin to factors which are quite different from what we might suppose.

The phrase "Made in Germany" was sponsored neither by a body of far-sighted German businessmen with export interests, nor by some government export bureau, nor was it the brainwave of some clever ad-man or marketing expert. The British Parliament was responsible! The law in question was passed nearly eighty years ago — and let no one think that it was an expression of John Bull's affection for his German cousins. On the contrary, the Merchandise Marks Act of 23 August 1887 provided for the confiscation of all articles imported into England from foreign countries unless the fact of their foreign origin was clearly shown on the article itself or on the package. The object of this provision, at a time when there was considerable competition between the two great rising industrial powers, was to secure the home market for British goods. How far the Act did serve to protect home industries cannot be determined, but Meyer's Lexicon (1927) states that "contrary to the intention of the law ... the mark 'Made in Germany' was usually taken as a guarantee of the quality of the merchandise".*) German businessmen of the time were unaware of this and considered Britain's action as unfair. They therefore sought a change in the corresponding German law, and in 1894 succeeded in getting a regulation passed whereby British goods imported without the marking "Made in England" were subject to confiscation. So they were now quits — but to whose advantage this was is a moot point.

*) Quoted from a documentation on "Made in Germany" issued by the Institute for Market and Trade Research, Düsseldorf (1962), p. 1.

Whatever the case may be, it was the trade-war between Germany and England which was responsible for the national markings which are now to be found not only on the products of these two countries but also on goods "Made in France" or "Made in Switzerland", for example. Nowadays, forgetful of the past, we still feel a stirring of national pride when we see such markings on our country's goods, indeed it is difficult to take seriously a reminder of their origin as marks of discrimination, especially in view of the tricks to which some countries resort in order to imitate these markings with some semblance of honesty. For example, one country is said to have changed the name of a small industrial town to St Gall in order to be able to mark its products "Made in St Gall"!

Trade Marks or Marks of Origin?

A national mark of origin is not a trade mark. The fact than an article bears a legend giving the country of origin does not necessarily constitute any recommendation to purchase it in the mind of the buyer. In theory, marks of origin merely convey factual information, whereas a trade mark evokes definite associations and ideas about the characteristics and quality of the particular product. In concept the trade mark is closely allied to the idea of a guarantee of quality and dependability, based partly on the buyer's previous experience of goods bearing the same mark and partly on the image implanted in his mind by advertising or other influences. Indeed the whole concept of trade marks and brand-names is nowadays closely bound up with what is called the 'brand image'. This image is created not only by the goods themselves and the advertising that accompanies them but also by the trade mark per se which can reach certain levels of the human subconscious. This applies both to pictorial marks (crosses, for instance, often have this 'subconscious appeal') and to verbal marks or brand-names. It goes without saying that a mark which refers to a particular nation or people arouses certain images in the mind of the reader by the mere use of the name of the country. Thus a mark of origin which names a country cannot really be taken as simply a factual statement of the article's provenance. It could even be asked whether a mark which merely gives the place of manufacture (which is perhaps unknown to the reader and thus has no geographical or national associations) may not also stimulate a certain response. Supposing I were to say "Made in St Peterszell" or "Made in Waldstatt", the mere sequence of sounds or some element of harmony in the name may set off an involuntary train of thought in the mind of the reader. This can easily be tried out first-hand by allowing one's fantasy free rein on the two examples quoted or other similar ones. The more outlandish the place of origin sounds, the more it gives wings to one's fantasy.

In the foregoing example not only the statement of origin has an effect on the buyer but also the fact that the marking has also been used on goods with which he has some definite experience. The simple statement of origin therefore includes an idea of the quality and value of the article. It is very difficult here to distinguish between the rational and irrational components. Among the rational components could be numbered those elements in the process of association which are based on concrete experience of goods coming from the country mentioned. "Ah, yes! Made in Germany". I bought some such thing once before and it lasted much longer than others of its kind!" That kind of reaction can be classed as a rational consideration. Among the irrational components might be included the notion that a product must have some worth if its makers think it is worthwhile telling the buyer where it comes from. The very fact that a product has been lifted out of the anonymity of the general mass of goods creates the baseless impression that here is something good. Moreover, the potential buyer feels that an appeal is being made to him as an expert — "Of course you know what 'Made in Germany' means!" Experience shows that this factor is particularly effective in countries which place a premium on education and culture.

Up to this point the various elements which make up the image created by marks of origin have been purely accidental, for no active steps have been taken by the manufacturer to influence the image in any particular way. But a proper trade mark calls for advertising, which nowadays means not only publicity with the primary aim of ensuring that the brand name is easily remembered, but also a certain manipulation of the image. A simple statement of origin in a certain country is both easily recognized and remembered, for as a rule such marks are familiar enough — in direct contrast to invented brand-names. Indeed the image is already conditioned by the statement of the country or place of origin without any brand advertising. In this connection the question arises whether there is, or can be, any difference between the image created by the name of the country alone and that evoked by the phrase "Made in ...". The answer is certainly Yes. It is perfectly conceivable that a certain nation may be very popular among its neighbours who have, however, no very high opinion of its commercial and industrial know-how — yet its products are welcomed nevertheless.

This shows that even in the case of marks which make use of names of countries there is still plenty of scope for a deliberate and systematic policy of brand publicity to build up the image of the product.

A further difficulty should not, however, be forgotten. National marks — provided always that they are accompanied by appropriate publicity — constitute communal marks. That is to say, they refer not to the goods of one producer only but to those of a large number of producers. The greater the number of producers using such a national mark, the greater, naturally, is the variety of goods and of the quality of production. This variety of products can once again rouse certain associations in the mind of the buyer which can lead to a preference for one particular category, varying according to the mentality of the consumer. Whether this is a positive or negative factor depends upon external marketing conditions, supply and demand, etc. The fact remains that a very wide range of products all covered by the same mark of origin tends to lead to a levelling-off of the brand-image; or, to put it another way, the elements of association with a particular national character carry more weight, and these cannot be manipulated.

Variations in production, i.e. differences in the quality of individual products, also lead to a devaluation of the national mark of origin. If "Made in Germany" covers not only high-quality goods but also mediocre products, this will devalue the mark. If a buyer encounters a series of really inferior articles, this is naturally bound to affect the image in a negative way. The more the guarantee of quality is based on purely pratical attributes, the more abrupt the reactions is fated to be, for any decline in practical efficiency is usually very soon detected. But if the image is based on irrational elements, the negative reaction may be much slower. When a country has a reputation for modern design (Scandinavia, for example), a few eccentric or even really bad designs will not immediately ruin the national image. But if the image of the country's products is bound up with fine workmanship, durability, etc., a few cases of poor workmanship or shoddy material will do far more lasting damage to the national reputation.

In the essentially pictorially-minded world of today, trade marks are usually not only verbal but also visual in character. To find a visual symbol to associate with a verbal national mark is by no means easy. Switzerland has found a very happy solution in the crossbow as the symbol of Swiss origin. Recent analyses have shown that this symbol has a wide appeal as an image for the sale of industrial products.

The Marketing Value of "Made in Germany"

In order to assess the marketing value of "Made in Germany", we must examine the various aspects of marks of origin and trade marks outlined in the preceding section. Naturally such an analysis cannot effectively be made conclusively on the basis of secondary material. We shall therefore endeavour to show how the existing material can be interpreted and what points of reference may help us to arrive at a valid appreciation.

We have established that a national mark of origin is in the first place coloured by the associations which various nations attach to the words "German" and "Germany", but also that it is not the attitude towards the country and its people that is alone decisive; the image of the product is equally significant. For example, even if "German" is seen as a threat by the Swiss, the reaction to the product itself need not necessarily be negative. On the contrary, a positive result is quite possible. If we want to take this question further, we must seek information in material which reveals the attitude of the importer of German goods. The documentation compiled by Dr Hegemann's publicity service in Düsseldorf already refered to above is well worth studying in this connection. A study carried out by the Munich 'Infratest' Institute in the summer of 1960 revealed that in France, Great Britain, Italy, the Netherlands, Sweden and the USA, products made in Germany were considered to be solidly and reliably made yet unattractive and somewhat inelegant, but also practical, serviceable and cheap. In a poll undertaken by the E. H. Martens Verlag in Egypt, Hongkong, India, Iran, Mexico, Japan, Pakistan, Puerto Rico, Tanganyika and Thailand, 51 % thought German products excellent or very good, 41 % good, 2 % average, 1 % bad; 5 % 'didn't know'. Since 1961 the number of those who declare that the quality of German goods has declined has increased, but there are not many authoritative foreign voices among them. In any case the quality of products from the German Federal Republic is sometimes confused with that of goods manufactured in the Soviet Zone.

It cannot be maintained with any certainty that the "Made in Germany" mark no longer really betokens a guarantee of quality in goods producted in the Federal Republic. On the other hand the complaint is quite frequently heard that answers to enquiries are sometimes inept and not always very prompt, that service leaves much to be desired, and that relations with business partners in the developing countries are not the most diplomatic. These are difficulties which other exporting countries also have to contend with, but they do have an adverse effect on the image evoked by trade marks and marks of origin.

There is no deliberate publicity campaign for "Made in Germany". Such images as there are, are chance images, and pertain to an extremely heterogeneous group of products of varying quality. The beginnings of publicity abroad have been made, but as far as I know these have not been developed.

The question occasionally arises whether an individual manufacturer should use "Made in Germany" or would do better with his own trade mark. German regional symbols — of which the Berlin bear is the outstanding example — are also used, either alone or in conjunction with "Made in Germany". The problem is one that applies to all communal symbols. As matters now stand, it would be wrong to give up a good trade mark in favour of the existing national marks of origin. "Made in Germany" can simply be added as an additional persuader, though a manufacturer must be aware of the danger which can arise if other makers in the same line or the same export market also use "Made in Germany" without, however, achieving the same high standards of quality. In such a case "Made in Germany" could well be a dissuader rather than a persuader.

Future Development of National Trade Marks

In the light of the foregoing observations, we must now consider whether national markings should be used in the future for our industrial export products, and, if so, in what form. The following points must be considered: significance in supra-national market groupings — economic development — visualization — market strategy of individual firms.

At first sight the use of national markings in markets which are becoming increasingly international would seem superfluous. Certainly they no longer serve the purpose of discriminating between home and foreign products. Furthermore, trading partners tend to regard such supra-national market groupings by and large as closed economic units. For the moment, however, this unity has not yet been achieved, so that the use of national markings within the Common Market as well as outside it is still justified. Whether this will remain the case in the future is another question. Here a distinction must be made according to products. National markings will always be justified if they refer to some specific achievement deriving from the creative impulse of a particular nation, but otherwise they will disappear. Mass-produced utilitarian items which can be manufactured anywhere by the same machinery at a constant quality level will have less and less need of national markings, but by contrast whenever there is something special about articles which gives them their value, the national marking will still be justified. But this will only be the case if at the same time the quality can be fixed at a high level. If the quality drops, then there is no point in labelling goods with any kind of mark.

This raises the question whether Germany's trade development favours the continued use of "Made in Germany". Investigations made by Dr Heuer in the summer of 1962 showed that "Made in Germany" was still a recommendation. Dr Heuer says: "It depends to a very great extent on the German economy how far this reputation ... will be maintained and enhanced in the future. Quality, and service adapted to market needs, reasonably competitive prices, and correct business relations all play a part in this."

It would seem certain that the German economy and industry will continue to develop positively as far as quality is ooncerned. Competition from other industrial countries will force this on Germany, as on Switzerland and other countries. But such a development involves effort, not only on the part of entrepreneurs but also by workers at all levels. Furthermore, there must be a real effort on the part of the general public to raise the standard of eduction.

These reflections — though by no means exhaustive — lead us to conclude that it is still worth while to use "Made in Germany" as a selling-point in the future. It should be raised to the level of a trade mark and at the same time a certain amount of brand publicity should be initiated. This would, of course, entail finding some pictorial symbol which would express the words. But this is extremely difficult. Nevertheless, it seems to me vital that some visual form of the phrase "Made in Germany" should be found, not only for foreign-language markets or markets where there is widespread illiteracy, but for all markets, for in this way images and associations could be influenced positively. This would, however, necessitate the restriction of the marking to homogeneous categories of merchandise which satisfy minimum quality standards. And these standards must apply not only to the products themselves but extend to cover the various marketing activities of firms as well. Whether the individual entrepreneur decides to use this kind of marking — well visualized graphically and fixed in the buyer's mind by proper advertising — depends upon whether he feels that his firm is able to put across its own trade-mark or if he is dependent upon using a communal marking. If there is no communal marking, goods produced by small or medium-sized firms are likely to remain anonymous. Though a breakthrough is sometimes possible in certain limited fields where personal contacts are effective, a widespread contact between potential buyers and individual firms in the sphere of world export is out of the question even for slightly larger industries.

All this leads us to the conclusion that the use of a national mark which is a guarantee of quality and at the same time suggests value and evokes images is also desirable in the interests of a decentralized industry not organized into mammoth corporations. I have no idea whether this is considered the right development in Germany, but as far as my own country is concerned, we give preference to a decentralized economic structure. In this connection the existing state of employment in industry naturally plays an important part, and for this reason in all countries with a prospering economy a certain reserve in these matters will be found. In many cases this reticence seems to me a mistake as far as trade-marks and advertising are concerned, for it is well known that the work of establishing a marketing image cannot be left to the last moment; such images must be created in good time and kept continually in the public eye.

I maintain the view that marks used to dennote national origin ought at the same time to be national trade-marks. These markings ought to combine their wording with a suitable image, and should only be made available to products which conform to certain standards. Suitable advertising is desirable, both to fix the image and the product it represents in the mind of the public and to emphasize the guarantee of quality and value.

As far as German industry and German trade markings are concerned, on the basis of the material examined the situation seems likely to remain favourable. Nevertheless, attention should be further concentrated upon design and service, for in the markets of to morrow these two factors will be even more decisive than they are today when potential buyers have the choice of several competitive products. That competition for world markets will ever decrease seems unlikely.

Design and "Made in Germany"

by Dr. Hans Wichmann, München

Das Leben zu fördern, den ewigen Vollendungsgang der Natur zu beschleunigen,
— zu vervollkommnen, was er vor sich findet, zu idealisieren, das ist überall der
eigentümlichste, unterscheidendste Trieb des Menschen, und alle seine Künste
und Geschäfte, und Fehler und Leiden gehen aus jenem hervor.
Friedrich Hölderlin

I

All of us have at some time or another experienced that disconcerting process
whereby familiar objects and ideas suddenly slip from our grasp and become
strange to us. To make them our own again, we have to develop an entirely new
awareness of them. This is a phenomenon experienced not only by individuals
but by smaller and larger communities as well, and for the masses it is the
inelectable step that ultimately determines the future course of life.

One such step has been taken for us by our own industrial and technological age,
but despite the already high degree of technicalization of our life, the process
is far from being complete. On the contrary, it is still developing. We are all of
us involved in an evolution which has already brought upheavals of all kinds in
its train, revolutionary changes unprecedented in the history of mankind. In every
sphere an incalculable number of old familiar concepts, things and objects long
taken for granted, are now called in question. We see the foundations of our
whole way of life disintegrating, ethical and aesthetic concepts included.

Before the development of industry, aesthetic standards were determined by
entirely different conditions. For when a buyer acquired an object, he conducted
his business with the designer, manufacturer and craftsman in one person.
Moreover, the craftsman was aware of his responsibilities; integrity and honest
workmanship were as important as human contact. Work gave pleasure, labour
had its own code of honour, and responsibility was not only sensed in spirit but
also deliberately cultivated. Deception, slovenliness and bad design ran contrary
to conscience and personal honour. This precluded any decline in workmanship
or the use of inferior materials. The buyer, by virtue of his experience, acted as
controlling agent for the finished article. The craftsman welcomed this close
contact, knowing that the buyer appreciated his taste as well as his skill.

Industrialization which introduced modern mass production eventually destroyed
this contact between producer and buyer. For the first time in history, industry
and entrepreneur now assumed the function hitherto reserved only for the
leading strata of society, the aristocracy, and — after the French Revolution —
the bourgeoisie. Secure in their educated taste and sure instinct for the genuine
in all forms of art, these classes had always set the standards of taste for the
rest of the people. Even in the homes of simple country folk, the influence of the
refinement of eighteenth century taste — suitably adapted and transformed —
was evident in furnishings and household articles. These classes who had

formerly set the tone were displaced, and their task was taken over by groups for the most part ill-qualified for such a responsible function. The chaos in matters of taste which inevitably followed reached its zenith around 1900. The social instability of the day was exploited in a ruthless drive for commercial profit, and shoddy mass-produced goods of all kinds flooded the market. The manufacturer assumed one important function of the buyer, namely that of ordering the goods and paying for their production. In this way the buyer became the consumer of today, who no longer plays any part in the production process and is left only with the choice between the various end-products. There was no longer any contact between consumer and manufacturer. The more open-minded on both sides realized the drawbacks of this situation. For now the consumer could only voice his wishes passively, in refusing to buy what was offered. The producer, on the other hand, had to resort to market and motivation research in order to discover the psychological reactions of the consumer which are highly inconvenient factors for industry and a source of constant uncertainty. In industry high production figures are essential to counterbalance the cost of investment in machines. But no real contact could be established through market research, for it has no creative function, merely determining the situation as it is, not as it ought to be. The gap between manufacturer and consumer must be regarded as a natural consequence of mass-production. It could simply be accepted as an historical factor provided mass-produced goods satisfied certain requirements. This, however, is not the case, for not only is there a gap between manufacturer and consumer, there is also, even today, a marked divergence in quality between individual products. Technical quality and design are in no way co-ordinated. Far from regarding this fact as something which cannot changed, however, we must strive towards a new awareness of the needs of our day, realizing that the proper combination of quality and design is not merely a technical and aesthetic problem. In our age of mass-production it becomes a question of responsibility and thus a socio-ethical task.

II

Man has always sought to give a pleasing form to what he makes. It is not enough that the objects of his daily life should satisfy purely practical requirements — they must be beautiful as well. Indeed it would seem that only when he has made things good to look at can he really 'possess' them. Through the work of his hands and his brain he creates a bond between himself and the thing he has made, sharing something of himself as a human being.

In the days of craft production it was the hand — which Immanuel Kant called the external brain of man — that directly formed the object. When the machine came to replace the craftsman's tool and the hand's skill was substituted by routine manual production, a general decline in design began. This was not due to the machine as such, but rather to its misuse. For the machine was simply viewed as a means of saving on manual labour and expected to produce designs which called for individual craftsmanship. This mistaken and naive notion led to the manufacture of the cast-iron capitals typical of early iron architecture and the Renaissance decoration used on iron bedsteads and steel safes (after Hans Eckstein).

We are all familiar with these articles, many of which are still in use today, for they are indestructible, both in material and construction. The reputation of German products — and their subsequent hall-mark "Made in Germany" — was based on precisely these characteristics of technical quality and durability. But even if these machine-made products still fulfil their practical function, they are not adequate for modern man. For it is not material, nor technical and functional quality, nor good design alone that determines the quality of a product, but the harmonious alliance of all. Rabindranath Tagore says: "The 'logical connection' revealed in a clear sentence and the 'aesthetic connection' of proportion in a work of art have one thing in common: they prove to us that 'truth' is not found in facts, but in the harmony of facts."

Of course these reflections are not new. In the early years of the machine age, however, they found fresh expression and gained a new relevance rooted in a sense of social and ethical responsibility. The men who first voiced these ideas were men of action prepared to work for their realization in the industrial countries of Central Europe, above all in Germany. Here the ground had already been prepared by the movement for intellectual and artistic renewal which originated in England and found concrete expression in the German 'secession groups'. These groups were the first at this period to combine so-called 'free art' with applied art in an endeavour to restore art to its proper place in daily life, thus bridging the dangerous gap created by 'art for art's sake'.

The more sensitive atmosphere at the turn of the century favoured a better appreciation of materials and their proper use, together with a new awareness of the subtleties of proportion. At the same time, there was a better grasp of the influence of certain historical tendencies, such as he restrained dignity of line found in many of the everyday articles in use in the Far East. All this led to a new discipline of form bringing design into harmony with materials.

This intense preoccupation with improved design combined with better material and functional quality in hand-made products must be viewed as part of a general striving towards a new cultural order. Pioneers of this movement to set higher standards in every sphere of life were the men who united to form the Werkbund in 1907. The Werkbund differed from other contemporary movements for cultural reform in that it did not just formulate theories but gave concrete expression to them in the work of its members, thus setting an example to others.

44

This work covered a wide field, ranging from architecture to simple everyday articles which, though basically strictly functional, satisfied the highest aesthetic standards in their balanced lines and restrained ornament.

Only through work of this kind, by reduction to essentials — not a negative 'purification', but rather a disciplining of form which is positive, vital — was it possible to adapt manual production processes to the machine. A second significant factor was the common recognition that socio-ethical considerations came before aesthetic requirements. To the men of the Werkbund is seemed more important to manufacture well-designed goods for a wide market than a few costly items for wealthy buyers. But this was only possible with machine-production. A new, forward-looking approach to the machine was needed, recognition of the unique chance it offered to produce machine-made articles which combined beauty of design with practical requirements.

Walter Gropius writes: "The artist is capable of breathing a soul into the dead product of the machine; his creative power lives on as a ferment. His collaboration must be here neither a luxury nor a contribution freely made, it must become an indispensable component of modern industrial enterprise... It is not enough merely to engage draughtsmen at a low salary to produce 'art' for seven or eight hours a day, and then to turn out thousands of articles reproduced from their uninspired designs for mass distribution... Just as technical invention and business management call for intelligent, independent thinking, the devising of new designs and new inspired expressions of form call for the creative force of the artist's personality..."

And Peter Behrens says: "It is not true that the public wants goods in this or that taste and is prepared to pay this or that price for them. The mass of the public is indifferent and buys what is available and what is pressed upon it. Tasteless goods result from the dictatorship of the commericial traveller who stipulates the production and supplies the retailer. But how many people there are who are looking for better, usually simpler designs and cannot find them..."

In Richard Riemerschmid's view, "it is quite wrong to imagine that there are not at all levels, down to the humblest unskilled worker, traces of the feeling that beautiful things are worth making, even if it means trouble and sacrifice, and that tasteless and bad work is not worth any effort or sacrifice. The lowliest worker still bears traces of the pride of craft or professional pride which lies behind all good work, but to develop these traces into a real sense of pleasure in their work is naturally only possible if the whole atmosphere is permeated by a genuine conviction that such work is worthwhile."

These quotations may convey some idea of the efforts of writers and journalists in this field to win acceptance for the new concept of the artist's place in industry. In addition to the foundation-members of the Werkbund, active in the sphere of the arts, almost as many industrialists gave whole-hearted support to their aims, and it was they who provided the possibility of practical application. As early as 1907 Peter Behrens was able through the generosity and far-sightedness of Emil and Walter Tahenaus to exert considerable influence on the products and architecture of the large electrical concern A E G. His work was not limited to the drawing-board alone; he designed the firm's products in close collaboration with the constructors, production-engineers and management, and gave the firm its particular 'graphic image'. He was the first artist to work as such in industry, in fact the first industrial designer, and his example was the starting point for an entirely new profession which has gradually become indispensable in our modern industrial society. In this new field Peter Behrens, and with him Henry dan der Velde, Richard Riemerschmid, Mies dan der Rohe and Walter Gropius, did pioneer work and created a market for their own talent. In the process, they were not only designers of form but also, through their writings, educators of the public. Through their work and influence they developed a growing interest in and demand for more pleasingly designed surroundings, a demand which cannot be evaluated merely commercially, and became the new mediators between consumer and producer.

III

Planned industrial design began two generations ago. Today the conviction is spreading to every corner of the globe that design is a factor of the utmost economic importance which cannot be ignored, more especially in this age of industrial rationalization. This fact is also recognized increasingly in the science of economics, which has now begun to take account of certain irrational elements which influence the judgment of design in addition to the rational facts of trade and commerce. The terms 'rational' and 'irrational' denote the two extremes between which designs has its place, and, allowing for the latitude between these two poles, the essence of industrial design must be seen as a harmonious and meaningful concordance of both elements. It is the primary task of industrial design (and therein also lies its difficulty) to overcome the natural antithesis between technical requirements and form. Products cannot therefore be judged as 'art', in the popular sense of the word. "Industrial goods are not created in the seclusion of workshop or studio but in factories, as the common effort of all those engaged in their production. Works of art are not created in this way. All the same, we speak of the contribution of art to cover what cannot otherwise be expressed" (W. Wagenfeld).

Well-designed industrial products are unobtrusive, for, in comparison with earlier periods, the scope for individual expression is extremely limited. Essentially they follow the same lines as the many pre-industrialized everyday articles which were usually strictly functional and without ornament and whose production ran parallel with the production of the works of fine art of the day — indeed they provide us with a mirror of the particular period. These articles did not need to 'show off' — they were not status symbols for the maker or the user — they were made to be used, and they were genuine. Some signs of these characteristics were still to be found in various technical products of the early days of industrialization, but only if they were not made with an eye to 'status function'. Industrial design must bridge the gap back to this fundamental concept of form, always taking into account, however, the rational demands of industry. The conditions are clearly laid down. It is the object of every industrial enterprise to manufacture goods on a profit-making basis, and a market must be guaranteed. The law of order and economy which govern any commercial concern also apply to the designer. The sphere of industry will only provide him with a fruitful field of activity if he can work closely with the draughtsman, the management and the man at the bench, not to mention those responsible for market research, sales and advertising. Only if he can establish the closest contacts in all these sectors will he produce harmonious designs with the least and simplest means; for industrial design is not just a matter of the outward appearance of the finished article, it is not just 'dressing it up', it also includes the question of value for money, and economically and functionally sound production in terms of the material used. The final form must develop from the technical construction and the purpose of the product and is therefore dependent on quite objective factors. According to Fritz Eichler (F o r m 1963, No 23), the process of integrating technical requirements with those of design poses an extremely difficult problem. This inevitably arises "when two persons work creatively at one task, starting from different points of departure in order to arrive at a common solution. Particularly in the case of technically complicated appliances, each can make the other's life unbearable, the one because he sticks rigidly to the constructional solution he has found, trumping all new ideas and justifiable demands with the ace of 'technically impossible'; the other because he allows his ideas of design to run away with him, making demands which ignore technical factors and possibilities and which really are technically impossible. But even if both are willing to cooperate, it is still something of an adventure, for every technical development represents, from a purely practical standpoint, quite unforeseeable difficulties and surprises which may nullify the already considerable contribution of the designer and thus lead to friction. On top of this there is the human element. The development technician has an interest in the product which goes beyond seeing it as a mere technical achievement; it is, so to speak, 'his baby', which he is unwilling to share with anyone, least of all an outsider. He wants it to be a success, and realizes that to be a success it must be good to look at. 'Beautiful' to him means what suits his taste. The fact that the designer's taste is often very different from his own is all too obvious. After all, it is a meeting between two jobs which require completely different specialized gifts: "on the one hand a high degree of technical and constructional competence, on the other a highly-developed sense of form related to function, psychological insight and (to use two often misused and therefore dubious expressions at once) artistic taste. Artistic taste is not just an innate gift; it must be developed by constant and systematic study of aesthetic problems in practical work, by long years of experience, learning from mistakes made, with the object of getting away from the subjective view, striving towards purely objective values. Anyone who really knows this will be modest."

These observations from an expert give some idea of the complicated conditions in which the designer has to work. Further commercial factors complicate the situation still more. We can appreciate something of what is entailed in the profession of industrial design as well as the breadth of its scope. Raymond Loewy has said that an industrial designer should have all the qualities of a shipbuilder, a decorator, a psychologist, an artist, a typographer, an engineer (competent in every sector), a chemist, a physicist, an expert in materials, a salesman, and, above all, a businessman. This is no doubt asking too much, but he must have the gift for design and for organization combined with considerable artistic taste, psychological intuition and a sensitive appreciation of the technical problems involved. Last but not least, exceptional firmness of character is essential if he is to adapt his own creative ideals to material and commercial needs without succombing th the constant danger of artistic corruption. The field for his design work is correspondingly wide. An industrial designer, whether working freelance for a factory or a member of an industrial concern employed in the design department, cannot limit his activities to certain specific products. For it cannot ultimately be a matter of indifference to him how these products. For it packaged, or displayed, or sold, or advertised, or, in the widest sense, what environment they are made in. Thus the designer's approach to the product affects the whole 'face' of the firm, indeed both are closely related. But no one artist employed in an industrial firm can possibly cope with these manifold tasks alone. For this reason, particulary in large firms, it is desirable to spread the load. For example, a designer, an architect and an advertisement artist can make up a team having a common goal. A degree of specialization must be accepted in such cases, although this ought never to lead one-sidedness. Even within such a team, the designer's field is extensive enough, for it can cover all goods that are processed or manufactured. Today the designer is concerned with everyday utility and consumer goods, goods in other words which are used by people or with which people come into close contact, but his work also extends to purely technical products like motors, lathes, presses, cranes, etc. It embraces the whole of industry, in the widest sense, not only factory products but also hand-made goods, which are coming more and more to resemble their factory counterparts. Of course this division into design for hand-made articles and machine-made products calls for a certain process of specialization, though this must not be allowed to exceed that necessary in other intellectual disciplines, and never developed at the expense of good design. Initiative and a sense of responsibility are far more importance for the realization of the goal in view.

It is universally recognized today that commercial products, particularly mass-produced products, serve as a very real indication of the cultural level of the country of origin. If, on the other hand, as Prince Ludwig von Hessen und bei Rhein maintains, "industry had, and still has today, too little cultural conscience", then the solution lies with the entrepreneur, for it is he who decides what is to be produced and along what lines. The notion that 'the market demands this or that' is only a conditionally cogent argument for the entrepreneur who favours good design, for good design itself has an active influence on the quality of the goods demanded. It should therefore be the task of the entrepreneur to produce goods which while answering the demands of the market at the same time satisfy certain cultural requirements. It must be regarded as ethically wrong to view design merely as a means to quick commercial success. Rather, the task calls for "a new attitude of mind and the firm resolve to press forward, patient and unwavering in our aims" (E. Dirkmann).

Thanks to the constructive work of industry, the readiness of many industrialists to accept new ideas, as well as a long and intensive campaign to educate the public taste, not only is there today a more open attitude to contemporary design, but 'design' has also become an important selling-point. This is obviously to be welcomed, but it brings new difficulties in its train. The arguments in favour of design have long since been adopted by the advertising people and many of them have already become mere slogans bereft of all meaning. Closely related to this is the recruitment of design into the obsolescence war. The determination to have a 'this year's model' on the market is one symptom of an economy of plenty. It is, however, completely contradictory to the notion of the timelessness of good design, has its origin in speculation for new profits, and is fostered by a primitive belief in 'progress'. The results of this are what is called 'styling', artifical obsolescence and changes in design with no intrinsic justification. Another enemy of useful, practical, cheap (in the best sense) and beautiful articles is plagiarism. The irresponsible industrialist, who has taken no risks and undertaken no development work, profits — in hard cash — from the efforts of more responsible and idealistic promoters. While this naturally makes constructive work for good designs more difficult, this abuse at the same time indicates the success of the endeavours, for the fact remains that the standard of consumer goods has risen in recent years and that all these goods are available to everyone.

IV

This last point leads us to the part played by design in marketing. In our market-hungry economy the design of a product, as well as the influence it exercises on other competitive factors, is what distinguishes it from others in the same range. Very great differences of design are possible only in a very highly industrialized society and then only when the surplus supply has reached such a degree of technical perfection that products in a given field are more and more effectively like each other so that technical factors no longer constitute any real difference. The manufacturer has to try to find some other characteristic to distinguish his product from the rest. Competition forces this on him. From a purely commercial point of view this enlistment of design at the behest of purely external factors may be the obvious course to pursue, but it does not correspond with the real nature of design because it neglects the intrinsic socio-ethical aspects. No doubt differentiation of products by their design will increase turnover, the freedom of choice between different products will allow people to assert their individuality and perhaps permit them to exercise something of their creative faculty which has been limited and even partially eliminated by modern mass-production industry, but at the same time, unless there is the controlling factor of ethical responsibility, the dangers adumbrated above will arise. We all know that any industrially developed country can meet its essential needs with only a fraction of its capacity. If therefore it were possible to use some of the surplus to produce worthwhile and, in spite of a certain democratization of needs, unrestricted products, the appreciation of quality in the broad sense might be spread to a wider circle. Since quality consists not only in the objectively perceptible characteristics of the product but also in its use-value, it follows that a positive influence must result, evident in the everyday life both of the individual and the community. Furthermore, since planned design naturally leads to first-class products and creates favourable production conditions, the competitive factor of industrially designed goods is increased and prices are lowered accordingly. From the few points we have considered it is clear that design, as an integral part of an article, today constitutes an important marketing factor for all industrial countries, including Germany. For Germany, as for all countries dependent on export markets, this is a problem of vital importance.

Since the end of the World War I it has become a commonplace that a country like Germany with a limited supply of raw materials which must partly be bought at high prices abroad, must endeavour to export expensive items where the value of the work put into them is high in relation to the cost of materials. Such exports allow greater imports of raw materials. It is also well known that it is better for the cultural prestige of a country to export high-quality goods rather than shoddy products. This means exporting articles which conform to the highest standards of technical construction and form. A condition of this export, however, is the establishment of a genuine contact between the manufacturer and the buyer — the same contact as ought to exist between these partners in retail trade — who share the same point of view, or at least a willingness on the part of the manufacturer to create this common ground by adaptation. Quality export is thus only possible where there is a demand for quality goods. But the countries where quality goods are in demand are all doing their best to produce such goods themselves and not to import them. This tendency can be overcome when one country can show such mastery in one particular field that other countries cannot really compete. Herein lies the only hope of lively future exports, particularly as the liberalization of not only the European but also the oversea market must lead to ever-increasing competition both in prices and goods offered, so that only the really top-class products can hope to fix their own prices. A precondition for export is a home market to spur creativity and provide an effective trial-ground.

Besides competition in design among the industrial countries for each other's markets, there is also the market of the many countries where entirely different habits of living and ideas of design prevail. German industry and export trade used to be renowned for the way in which it adapted itself to the unusual requirements of the Asian and African continents. Here, too, in view of the efforts of these states to acquire the appearance of industrial countries as quickly as possible, it is of prime importance that the image of these foreign countries should be drawn more closely to our own; at the same time, our foreign marketing people must combine the ability to assess local market conditions with the requisite psychological insight. If a trade policy aimed at exporting quality goods is to be effective, it is essential to study the foreign markets open to development, their readiness to accept goods of modern design, etc., for wherever we can sell well-designed products a base for future trade has already been established. Before 1922 Germany was already on the way to taking a leading place in the field of design. The best proof of this was England's reaction to the Werkbund movement, expressed in the words of Clutton Brock in 1916: "German success in this field is not just a matter of competition. The Germans have achieved their success not because they have one eye on us, but because they have both eyes on the job. What we need to copy is not their products but their attitude of mind . . ."

Germany's reputation in this field is still high, and although it has lost something of its former distinction, it can still be revived. It is true that Germany's contribution to design does not lie in the realm of imaginative novelty but rather in solidity, utility and reliability. Perhaps there is a certain lack of structural elegance, but this is compensated by a pleasing note of ascetic austerity which characterizes the best German products and is a safeguard against dangerous 'modern' trends. Thus well-made German goods reflect even in their aesthetic form the purely rational elements which "Made in Germany" originally called to mind. This surely proves that the demand for the integration of technical-material and formal-aesthetic values is not utopian, but, on the contrary, already a practical proposition realized in many cases in Germany. On the other hand, it cannot be overlooked that the power of suggestion of "Made in Germany" is still overwhelmingly conditioned by the concrete rational factors of a product. This is confirmed by polls which show that while there is considerable interest abroad for German capital goods such as machinery and tools, as well as for utility goods such as motor cars, cameras, television sets and typewriters, the same welcome is not extended to consumer goods where aesthetic and design values feature so predominantly, often to the exclusion of other factors. This shows on the one hand the tenacity of certain preconceived ideas, on the other, however, that a special effort must be made by the consumer goods industry to change this situation by drawing attention to existing products of high quality while continuing to strive after further improvements.

In conclusion it can be said in general that as the hallmark of a certain quality of production „Made in Germany" is still a selling point, though it varies from country to country, from one industry to another and from one product to another. This must be maintained. In view of the increasing liberalization of markets and the consequent increase in competition, the continued appeal of „Made in Germany" can only be assured by a corresponding increase in quality in the wide sense already outlined, quality which embraces such relevant factors as service, competitive prices, fair business transactions as well as production itself — and this includes design which plays a far greater part than in former years. Neglect of design can lead to the loss of extensive markets, as countless instances have shown, whereas its cultivation can open up new markets and thereby engender values which, independently of purely rational commercial factors, are not limited by national or accountancy considerations and can thus serve man's psychological needs. For it is well known that man's environment can have a profound effect upon him. It is therefore by no means unimportant with what sort of things he surrounds himself or is surrounded, whether they be good or bad. They are bound to affect him, one way or the other. For this reason, every country and every firm which concerns itself with quality in the widest sense makes a contribution to the betterment of our life. The photographic section which follows should be studied with this in mind. It shows some examples of Germany's contribution to good design.

Made in Germany
Considérations sur une appellation d'origine nationale
par le Prof. Dr. Heinz Weinhold-Stünzi, St Gall

Historique

Lorsque nous considérons aujourd'hui une appellation d'origine nationale, nous n'éprouvons aucune surprise à constater qu'elle se présente en langue anglaise. L'anglais n'est, en effet, pas seulement compris presque partout dans l'hémisphère occidental; il a aussi, par comparaison avec les autres idiomes, un caractère essentiellement commercial. Son utilisation prête donc à une désignation quelconque un aspect international d'espèce exceptionnelle. Doit-on en déduire que les créateurs de la formule «Made in Germany» se sont, à l'époque, livrés à de subtiles réflexions économiques, et qu'ils voulaient donner à leur emblème une intelligibilité aussi grande que possible à l'extérieur des frontières, tout en faisant naître des associations d'idées favorables? Ceci aurait impliqué au départ une conviction ferme — à savoir qu'il était honorable pour un produit d'avoir été «fabriqué en Allemagne».

En peu de mots, nous semble-t-il, voilà cerné le coeur du problème d'une appellation nationale. Plutôt que de l'aborder aussitôt, nous procéderons d'abord à un retour en arrière. Car le «Made in Germany» est né pour des raisons toutes différentes de celles qu'a évoquées l'hypothèse précédente. Qu'on ne cherche pas à son berceau un groupe d'exportateurs allemands pleins de prévoyance, ni un service officiel actif et intelligent — et moins encore un spécialiste de la publicité débordant d'idées. S'il était un droit d'auteur sur le «Made in Germany», c'est au Parlement britannique qu'il appartiendrait. Gardons-nous de voir là une expression particulière de la sympathie que John Bull aurait portée à ses cousins . . germains. Le contraire serait bien plutôt vrai; car le «Merchandise-Marks-Act» du 23 août 1887 ne prévoyait rien moins que la confiscation de toutes les marchandises étrangères importées en Angleterre, si celles-ci ou leur emballage ne portaient pas distinctement l'indication de leur origine. La concurrence était rude entre deux états déjà fortement industrialisés; et l'Angleterre eut recours à cette mesure pour favoriser ses produits industriels sur le marché intérieur. Nous ne pouvons dire si ce décret eut les conséquences souhaitées. L'Encyclopédie de Meyer, dans son édition de 1927, constate en effet que «contrairement aux intentions des législateurs, l'appellation ,Made in Germany' porta caution en Angleterre de la qualité d'une marchandise»*. Mais les négociants allemands n'eurent point, à l'époque, l'intuition de ces conséquences; ils considérèrent les procédés anglais comme fort peu loyaux, et souhaitèrent, à leur tour, une modification de la législation allemande sur les marques. En 1894, ils obtenaient gain de cause; un paragraphe supplémentaire prescrivait la confiscation en Allemagne des marchandises anglaises qui ne seraient pas indiquées comme «Made

*) D'après une documentation sur le thème «Made in Germany» réunie par l'Institut d'Etudes du Marché et de la Publicité (IMWI), Düsseldorf, s.d (1962), p.l.

in England». Les armes semblaient à nouveau de même calibre . . reste à savoir qui sortait gagnant de cette joute.

Une constatation nous est donc permise: c'est à la rivalité économique entre Allemagne et Angleterre que nous devons, à l'origine les appellations de provenance ou d'origine nationales. Celles-ci ne sont pas restées particulières à ces deux pays; d'autres ont suivi: «Made in Switzerland», «Made in France», etc. Nous pensons que notre époque nous a délivrés des préjugés d'antan; et nous ne laissons pourtant pas de considérer avec une certaine fierté, sur une marchandise, l'inscription qui en fait notre compatriote. Ces considérations auraient dû pourtant nous prouver que l'histoire a parfois l'«esprit de l'escalier» — puisque ces appellations sont nées à l'origine d'une volonté de discrimination. Sentiment qui nous envahira de plus en plus à mesure que nous constaterons les ruses utilisées par certaines nations pour contrefaire ces appellations d'origine. Il est, paraît-il, arrivé qu'on rebaptise à l'étranger une petite cité industrielle et qu'on l'appelle St Gall pour pouvoir inscrire sur ses produits «Made in St Gallen».

Appellation d'origine ou marque de fabrique?

Une appellation d'origine n'a guère de points communs avec une marque de fabrique. Pour préciser notre pensée: le fait qu'une marchandise porte l'indication de sa provenance ne constitue pas une condition suffisante à éveiller chez l'acheteur virtuel les idées qui le décideront à l'acquisition. Sur le plan technique, une appellation d'origine représente uniquement une information concrète; la marque, au contraire, crée chez l'acheteur cet ensemble d'images et d'associations qu'entraînent les caractères et les qualités d'un produit déterminé. La marque de fabrique implique une garantie de qualité, un jugement de valeur; or ceux-ci dépendent d'une part de la confiance que l'acheteur a mise dans la marchandise dont il a déjà fait l'expérience, de l'autre, de l'emprise que la publicité ou d'autres influences extérieures ont pu s'assurer sur le client. Les théories les plus récentes en la matière voient une affinité étroite entre la marque et «l'image» qui est sienne. La création de celle-ci ne dépend pas seulement de la marchandise elle-même ou de la publicité dont on l'entoure; sa désignation la conditionne de prime abord. Ainsi peut-on toucher les éléments archétypiques que conserve l'inconscient. Ce phénomène est aussi vrai pour les figurations (croix, par exemple) que pour les textes. Il est évident qu'une désignation relevant d'une nation ou d'un peuple déterminés suscite chez le lecteur un ensemble d'images associés à une notion ethnique. L'appellation d'origine rapportée à un pays ne sera plus, dès lors, considérée comme une information concrète indiquant uniquement une provenance. On pourrait même se demander si cette indication de provenance touchant un lieu avec lequel on ne peut, parce qu'on l'ignore totalement, associer d'idées géographiques ou raciales, ne crée pas pourtant d'emblée une ambiance particulière. Si j'évoque comme exemples «Made in St Peterzell» ou «Made in Waldstatt» — il s'agit là de deux localités aux environs de St Gall, dont j'imagine que le lecteur ne les connaît pas — j'entraîne pourtant, de par la sonorité des formules ou quelque facteur impondérable, des associations involontaires. Plus une appellation d'origine apparaîtra exotique, plus elle enflammera l'imagination. Cependant, dans le cas précédent, l'indication de provenance en soi n'est pas seule à exercer une influence sur le client; elle figure sur des marchandises dont celui-ci a déjà fait l'expérience. L'appellation s'auréole donc d'une idée préalable sur la qualité et la valeur de la marchandise. Là encore, la difficulté est grande lorsqu'on veut distinguer entre éléments rationnels et irrationnels. Les éléments rationnels me paraîtraient, dans le processus d'association, ceux qui se rapportent aux expériences concrètes faites avec un produit d'une provenance déterminée «Ah! ,Made in Germany». J'ai déjà eu quelque chose comme cela: c'était plus solide que d'habitude.» Voilà un exemple de conclusion rationnelle. Irrationnelle, par contre, l'impression que ce produit doit avoir quelque aspect particulier, puisqu'on en indique expressément l'origine. Enlever à une marchandise l'anonymat de toutes ses semblables par une désignation précise, c'est, d'ores et déjà, suggérer à l'irrationnel qu'elle doit être meilleure. En outre, celui qui la considère s'imagine involontairement devenu spécialiste: «Voyons, tu sais bien ce que c'est, «Germany». Et il y a là, on le sait, un facteur important pour tous les peuples qui respectent la culture.

Ces éléments qui donnent une coloration spéciale à une appellation de provenance sont purement fortuits, puisque le fabricant n'entreprend rien encore pour agir sur l'image ainsi créée. Mais une marque authentique ne saurait se passer de la publicité. Or celle-ci ne se borne plus, de nos jours, à faire connaître la marque et à en entretenir le souvenir; elle vise également à en construire l'image. Lorsqu'il s'agit d'appellations d'origine à teneur nationale, le public les accepte et les garde facilement dans sa mémoire, car nos contemporains — l'expérience le prouve — savent déjà qu'elles sont fort répandues. Le phénomène contraire se produit pour les marques nées de la seule imagination.

Mais l'absence de toute publicité n'empêche pas que l'image d'une désignation de provenance nationale ait déjà reçu une certaine empreinte. On peut se demander, à ce sujet, s'il existe une différence entre l'image évoquée par le seul nom du pays et celle qu'entraîne le «Made in . .» Nouis n'hésiterons pas à répondre par l'affirmative. Il peut se faire qu'une nation soit extrêmement sympathique, en tant que telle à ses voisins, mais que ceux-ci n'apprécient guère la qualité de son commerce et de son industrie, tandis qu'ils estimeront les produits de son agriculture.

Ce fait nous montre bien qu'il est tout à fait possible, même pour des marques de fabrique dérivées d'un nom de pays, d'entreprendre une publicité conséquente pour créer systématiquement une image des produits couverts par cette marque. C'est à ce moment qu'apparaît une nouvelle difficulté. Les appellations d'origine nationale constituent, dans la mesure où elles font l'objet d'une publicité correspondante, des marques collectives. Elles ne se réfèrent pas aux produits d'un seul fabricant, mais à ceux d'une quantité d'entreprises. Plus le nombre de celles-ci va croissant, plus hétérogène sera, c'est bien naturel, l'espèce des marchandises et celle de la production. Cette diversité des marchandises et celle de la production peut donc entraîner de nouvelles associations dans lesquelles, selon le client, l'une ou l'autre catégorie se trouvera placée au premier plan. Il dépendra de la «constellation» et de l'importance prise par chacun de ces produits sur le marché que le résultat soit positif ou non. Le fait est qu'un vaste assortiment de produits affectés de la même appellation d'origine provoque plutôt un nivellement de l'image de la marque, c'est-à-dire que l'emportent les éléments non suceptibles de manipulation qui sont nés de l'association avec un caractère national.

L'hétérogénéité de la production, ou, si l'on préfère, les différences de qualité existant entre produits, entraîne également une dévaluation de l'appellation nationale. Si nous trouvons, sous la mention «Made in Germany» par exemple, des marchandises excellentes et d'autres médiocres, le premier résultat de ce phénomène sera de dévaloriser la désignation en soi. Et si l'acheteur remarque des défectuosités évidentes, l'image qu'il s'est faite ne tardera pas à dvenir absolument négative. Cette modification sera d'autant plus rapide et dangereuse que la garantie de qualité reposera davantage sur des motifs concrets; la diminution de valeur peut, en général, être constatée de façon très claire. Si, par contre, l'image est surtout constituée par des traits irrationnels et accessoires, le phénomène signalé se manifestera beaucoup plus tardivement. Un pays est-il considéré comme le symbole du stylisme moderne (c'est le cas des états scandinaves), des formes bizarres ou franchement laides ne pourront nuire à cette réputation. Si, par contre, on attribue aux produits d'un pays une finition correcte, une solidité exemplaire, etc, et qu'il s'avère dans certains cas que le travail a été «bâclé», que les matériaux sont médiocres, leur renom en sera beaucoup plus affecté.

Dans un monde comme le nôtre, où l'oeil a pris une place prépondérante, une marque n'est plus uniquement, en général, basée sur le mot; elle se complète par une figuration. Il est naturellement très difficile de découvrir l'emblème qui convient à une marque nationale. Les Suisses ont eu la main heureuse en adoptant l'arbalète. Celle-ci, les analyses les plus récentes le prouvent, est susceptible d'entraîner un certain nombre d'associations favorables pour les produits industriels.

Le «Made in Germany» sur le plan technique

Pour être à même de porter jugement sur ce point, il est nécessaire d'analyser les éléments de l'appellation d'origine ou de marque que nous évoquions dans le chapitre précédent. Cette analyse ne peut être effectuée, ceci ne fait aucun doute, de façon concluante, si l'on se base uniquement sur du matériel secondaire. Nous nous contenterons donc d'indiquer ici de quelle manière il conviendrait d'interpréter la documentation existante, et de signaler les points qui permettraient d'arriver à des conclusions certaines. Nous avons constaté qu'une appellation d'origine nationale est tout d'abord frappée au coin des associations que les différentes nations lient à la notion stéréotype «Allemand» ou «Allemagne»; il nous est apparu en outre que son critère ne résidait pas seulement dans le cliché qu'on s'est formé d'une nation et de ses habitants, mais aussi dans l'image même du produit. Même si les Allemands sont devenus pour les Suisses, l'évocation stéréotype d'un danger possible, cette façon de voir ne peut être sans autres transposée sur un produit allemand. Il peut même arriver, au contraire, que cette conception provoque une «aura» très positive pour le produit en question. Si nous voulons préciser notre pensée sur ce point, il nous faudra avoir recours à la documentation existant sur le comportement et l'attitude des clients étrangers à l'égard des produits allemands. Nous pourrons nous servir dans une certaine mesure de l'étude consacrée par l'agence Dr. Hegemann à Düsseldorf, au «Made in Germany», et que nous avons déjà citée. L'Institut munichois «Infratest» constatait de plus, à l'été 1960, après s'être livré à une enquête en France, en Grande-Bretagne, en Italie, aux Pays-Bas, en Suède et aux Etats-Unis, que les produits allemands continuaient à être considérés comme solides et sûrs dans leur construction, mais peu élégants et trop lourds, tout en restant pratiques, utiles et bon marché. Une autre enquête, menée spontanément par les Ed. E. H. Martens en Egypte, à Hong-Kong, en Inde, en Iran, au Japon, au Mexique, au Pakistan, à Porto-Rico, au Tanganyka et en Thaïlande, a donné des résultats intéressants. 51% des personnes interrogées ont qualifié les produits allemands de remarquables et très bons, 41% d'entre eux les trouvaient bons, 2% moyens, 1% mauvais et 5% n'avaient pas d'opinion.

Depuis 1961, pourtant, on entend déplorer de plus en plus la baisse de qualité des produits allemands — les voix étrangères qualifiés qui pourraient se mêler à ce concert étant d'ailleurs les plus rares. Il arrive au demeurant que les produits de la République Fédérale soient confondus avec ceux de l'Allemagne de l'Est.

On ne peut prétendre en toute assurance que la désignation «Made in Germany», appliquée aux produits de la République Fédérale, ait cessé de signifier une certaine garantie de qualité. Mais il est juste d'ajouter qu'on reproche souvent à certains producteurs leur maladresse ou leur inexactitude dans leurs réponses, que le service laisse à désirer, et qu'on constate l'absence de la diplomatie nécessaire dans les rapports avec les pays en voie de développement. Certes, ce sont là des difficultés qui affectent d'autres nations exportatrices. Mais elles ont une influence réelle sur l'image créée autour d'une marque d'origine déterminée. Il manque au «Made in Germany» une publicité spéciale et conséquente. Les images qui l'entourent sont en effet dues au hasard; elles se rapportent aux qualités et aux produits les plus différents. Il ne semble pas qu'on ait épuisé les possibilités qui s'offriraient à cette diffusion. On peut parfois se demander si une entreprise doit employer le «Made in Germany» ou si elle doit mettre l'accent sur sa propre marque de fabrique. On a déjà, d'ailleurs, utilisé en Allemagne des emblèmes régionaux, combinés ou non avec le «Made in Germany» — et surtout l'Ours de Berlin. C'est là un problème inévitable dès qu'il s'agit de marques collectives. Vu le statu quo qui existe aujourd'hui, il me semblerait erroné de renoncer à une marque originale pour en revenir exclusivement à l'appellation générique. Le «Made in Germany» peut seulement être utilisé comme un argument complémentaire.»

Un danger doit en effet nous rester présent à l'esprit: celui de voir, dans la même branche ou sur le même marché, d'autres entreprises utiliser la même formule sans se préoccuper pour autant de la qualité de leurs produits. Cet argument pourrait donc devenir, dans certaines circonstances, un facteur de discrimination.

Evolution des marques nationales

Les considérations qui précédent entraînent nécessairement la question de savoir si les exportateurs doivent continuer à employer des marques nationales et sous quelle forme ils peuvent le faire. Ce problème dépend des points suivants:

1. Rôle sur les marchés communs
2. Evolution de l'économie
3. Visualisation
4. Stratégie commerciale de l'entreprise en question.

L'emploi d'appellations ou de marques d'origine nationale semble pour le moins superflu sur les marchés qui sont en train de s'internationaliser. De toute manière, celles-ci ne jouent plus leur rôle primitif de discrimination à l'égard de produits étrangers importés. En outre, un nouveau bloc économique finira, à la longue, par être considéré à l'extérieur comme une unité en soi. Ce stade ne semble pourtant pas encore atteint. La marque nationale continue donc à avoir, à l'intérieur du marché propre (CEE), comme au dehors de celui-ci, une justification certaine. Reste à savoir s'il en sera de même dans l'avenir, ce qui est différent selon les produits fabriqués. Les marques nationales devront continuer à exister dans la mesure où elles représenteront un effort digne de l'élan créateur d'un peuple.

Lorsque ce ne sera pas le cas, elles devront disparaître. Des articles de série, n'ayant qu'une valeur d'usage et pouvant, grâce à un équipement standard, conserver une qualité identique, nécessiteront de moins en moins, au fur et à mesure des années, une appellation d'origine. Par contre, lorsqu'il s'agira de produits possédant une valeur spécifique (de par leur complexité, par exemple, le goût raffiné dont ils témoignent ou les conditions particulières de leur fabrication) et que ceux-ci auront donc une utilité complémentaire, l'appellation nationale conservera sa raison d'être. Une raison d'être qu'elle ne pourra préserver, bien entendu, qu'à condition de maintenir la qualité du produit au niveau requis. Si la qualité baisse, il est absurde de vouloir utiliser une marque, de quelque nature qu'elle soit. Est-il par conséquent expédient de continuer à employer, vu l'évolution économique en Allemagne, la formule «Made in Germany»? L'enquête à laquelle s'est livrée le Dr. Heuer à l'été 1962 corrobore l'impression première: «Made in Germany» continue à être considéré comme une recommandation. Nous citons textuellement notre auteur: «C'est de l'économie allemande qu'il dépend essentiellement que cette réputation... reste intacte à l'avenir, voire qu'elle soit intensifiée. Les facteurs déterminants nous en semblent une qualité et un service répondant aux besoins du marché, des prix susceptibles de concurrence, le respect de la correction indispensable aux relations d'affaires.» Nous ne doutons pas un instant que l'économie et l'industrie allemandes ne continueront à progresser sur le plan de la qualité. La concurrence existant entre pays industriels ne laisse pas d'autre choix à l'Allemagne, à la Suisse et à bien d'autres nations.

Or les efforts requis ne sont pas seulement le fait de l'entrepreneur, mais aussi du salarié à tous les échelons. Ceci reste exact dans les efforts que la collectivité entreprend pour la culture et la formation.

En nous basant sur ces considérations, qui ne prétendent certes pas être exhaustives, nous en arrivons à conclure que la mention «Made in Germany» peut toujours, et à bon droit, former un argument propice à la vente. Elle devrait donc être élevée au rang d'une marque pour faire l'objet de certaine publicité. Pour ce faire, il serait nécessaire que le terme trouvât une désignation symbolique qui exprime le contenu. La solution de ce problème me paraît extrêmement compliquée. Je persiste pourtant à croire que la visualisation du «Made in Germany» serait souhaitable, non seulement pour les marchés étrangers et pour ceux où les analphabètes dominent, mais de façon générale. Elle permettrait en effet d'influencer de manière positive les idées et les associations d'idées inévitables. Ceci requiert, de prime abord, que l'emblème soit réservé à certaines catégories homogènes de produits, devant remplir pour le moins certains critères de qualité. Cette expérience de qualité ne doit pas seulement toucher le produit lui-même, mais aussi marquer toutes les réalisations commerciales de l'entreprise intéressée.

Quant à savoir si une entreprise déterminée doit se servir de la marque nationale — étant supposé que celle-ci soit présentée optiquement par un graphisme ne laissant aucune ambiguïté, et qu'elle ait fait l'objet d'un écho positif — ce problème stratégique dépend de la force propre de l'entreprise; à elle de savoir si sa marque lui suffit ou si elle doit profiter d'une désignation collective. Lorsque cette dernière n'est pas donnée, les moyennes et petites entreprises sont généralement condamnées à l'anonymat.

Celui-ci peut, dans certains cas, être rompu: mais ce phénomène ne se produit que dans les domaines déterminés et fort restreints auxquels donnent accès les relations personnelles. Une vaste liaison entre clients en puissance et firme possédant sa propre marque est exclue sur les marchés mondiaux, même pour les têtes de file des moyennes entreprises. Ces considérations nous amènent à penser que l'emploi d'une appellation nationale, suceptible de garantir la qualité, de suggérer des valeurs et créer les traits d'une image est souhaitable dans l'intérêt d'une industrie décentralisée, dont l'organisation ne doit pas être gigantesque. J'ignore si les Allemands voient également la justesse d'une telle évolution. En ce qui concerne mon propre pays, je puis dire que nous donnons la préférence à une forme d'économie décentralisée. A ce point de vue, naturellement, l'utilisation de la capacité industrielle joue un rôle éminent, ce qui explique pourquoi on observe une certaine retenue à ce sujet dans les pays qui ont la chance d'être portés par la conjoncture. Cette réserve me semble prouver dans bien des cas, sur le plan de la marque comme sur celui de la publicité, une certaine maladresse. Il est certain que les efforts supposés par la création d'une «image» ne doivent pas être entrepris lorsqu'on en sent la nécessité, mais qu'une appellation de ce genre doit être cultivée en temps voulu et de manière conséquente.

Je persiste donc à admettre que des appellations d'origine nationale représentent en même temps des symboles de marque. Ceux-ci ne devraient pas se borner à une formule écrite, mais être complétés par une figuration et réservés aux produits qui rempliraient certaines conditions.

Il serait ensuite souhaitable de faire, autour de cette marque et des produits qu'elle couvre, une publicité convenable qui en exprimerait à la fois la garantie, la valeur et l'image.

Les documents utilisés pour cette étude semblent prouver que la situation est positive pour l'industrie allemande et sa marque nationale, et qu'elle le restera. Cependant, on devrait consacrer à la forme et au service une attention redoublée, car ces éléments joueront un rôle plus grand encore qu'aujourd'hui sur le marché de demain, où le client aura la possibilité de choisir entre des offres équivalentes. Il est certes exclu que la concurrence diminue sur le marché mondial.

Formes et «Made in Germany»

par le Dr. Hans Wichmann, München

Das Leben zu fördern, den ewigen Vollendungsgang der Natur zu beschleunigen,
— zu vervollkommnen, was er vor sich findet, zu idealisieren, das ist überall der
eigentümlichste, unterscheidendste Trieb des Menschen, und alle seine Künste
und Geschäfte, und Fehler und Leiden gehen aus jenem hervor.
Friedrich Hölderlin

I

Nul de nous n'est sans avoir observé sur lui-même un processus qui nous plonge
dans un étonnement incessant; les notions ou les objets familiers s'échappent
de notre monde et se retrouvent dans un horizon étranger. Il faut une nouvelle
opération de la conscience pour que nous les assimilions. Mais ces objets, ces
notions sont désormais placés sur un autre plan; ils ne sont plus admis naïve-
ment et en soi. Ces phénomènes ne sont pas réservés à l'être de l'individu; on
les constate dans les collectivités, petites ou grandes. Sous cette forme s'accomplit, pour la masse et de manière obligatoire, un pas décisif, qui détermine,
en dernière analyse, l'avenir du genre humain. Ce nouveau stade de la conscience
ne peut être atteint qu'au prix d'angoisses, de peines et de privations, voire de
sacrifices et de pertes. Notre ère technique et industrielle voit s'accomplir une
première démarche dans cette direction.

Cependant, malgré un développement technique inouï, une «technification»
constante de notre existence, ce processus est loin d'être à terme; il ne cesse
d'évoluer. Nous sommes au cœur même de cette transformation, qui a entraîné
des bouleversements sans exemple dans l'histoire de l'humanité. Dans tous les
domaines, l'individu a vu remettre en question un nombre incalculable de concepts et d'objets qui lui étaient familiers. Des principes apparemment intangibles,
qu'ils soient éthiques ou esthétiques, connaissent un stade de dislocation. Il
n'est point de période primitive où le sens esthétique n'ait dépendu de conditions
que nous pourrions considérer comme formant la «politique» de la production
artisanale. L'acheteur qui se procurait un objet avait à faire à un de ses semblables, créateur et producteur en une personne, c'est-à-dire artisan. Celui-ci était
conscient d'une responsabilité, qui comprenait aussi bien l'authenticité que les
relations humaines. La joie au travail, l'honneur du travail en étaient partie intégrante. Cette responsabilité dont nous parlions était donc aussi bien affective
que consciemment entretenue. Tromperie, négligence, forme défectueuse con-
stituaient autant de violations de l'honneur et de la conscience professionnelle.
Dans ces conditions, une décadence de l'artisanat, une falsification du matériel
ou un manque de responsabilité devenaient difficiles dès le stade de la conception. L'acheteur était, de par son expérience, une manière de première instance
de contrôle. Ce contact étroit ne laissait pas de profiter à l'artisan; son sens
esthétique était partagé par l'acheteur. Les débuts de l'industrialisation, avec la
production de masse moderne, ont tout d'abord relâché ces rapports originels

entre producteur et acheteur avant de les détruire totalement. Pour la première fois, dans l'histoire des civilisations, l'industrie et les entrepreneurs ont assumé une fonction qui avait été réservée, au cours des siècles précédents, à la classe dominante — aristocratie en premier lieu, puis bourgeoisie depuis la Révolution française. Grâce à l'éducation de son goût, à l'instinct qu'elle avait de la représentation, cette élite avait toujours donné le ton au reste du peuple. Dans les fermes elles-mêmes, on retrouvait — sous une forme évidemment modifiée — un reflet du décor raffiné du XVIIIème siècle. Lorsque ces couches sociales eurent disparu et que leur rôle fut repris par des groupes qui n'avaient généralement ni la formation ni l'ouverture d'esprit nécessaires, il devait se produire inévitablement une confusion de goût, qui atteignit son apogée vers 1900. Un égoïsme éclatant en matière économique avait mis à profit l'incertitude sociale pour répandre sur l'humanité, sans contrôle aucun, un flot de contrefaçons industrielles. En outre, c'est au producteur qu'incombait dorénavant une des fonctions importantes de l'acheteur — la commande et le paiement de la production. L'acheteur était donc ramené au rang de consommateur; il n'avait plus aucune part à la fabrication et ne gardait plus que le choix entre produits finis. Le fossé qui se creusait ainsi était particulièrement sensible aux gens intelligents des deux camps. Au consommateur, il ne restait plus qu'une option — montrer sa volonté en refusant d'acheter un produit. Quant au producteur, il cherchait, par des enquêtes de motivation et des études de marché, à percevoir les réactions psychologiques du consommateur, celles-ci étant pour l'industrie un embarras extrême et la source d'une incertitude permanente. L'industrie requiert en effet des chiffres de production élevés, pour pouvoir amortir avec bénéfice les investissements qu'elle a faits Mais ces recherches ne suffisaient pas à rétablir le contact rompu; une étude de marché n'a ni caractère créateur, ni valeur pédagogique. Elle se borne à constater ce qui existe, et ne peut indiquer ce qui serait souhaitable. Il faut admettre ce fossé entre producteur et consommateur, et voir en lui une conséquence de la production mécanique en masse. On pourrait l'accepter comme une donnée historique, le soustraignant ainsi à la critique, si les produits finis de l'industrie satisfaisaient à toutes les conditions qu'on en requiert. Or ceci n'est pas le cas; il n'existe pas seulement un abîme entre producteur et consommateur, mais aussi, de manière générale, une divergence frappante entre les différentes qualités du produit en soi. Sa valeur technique et sa valeur formelle sont étrangères ou disproportionnées l'une à l'autre. Nous ne devons pas en conclure à un phénomène immuable; il est bien plutôt nécessaire, pour parvenir à un nouveau stade de la conscience, de chercher à le modifier. Car la question de la forme et de la qualité n'est pas seulement un problème qui mette en jeu l'esthétique et la technique; la production de masse en a fait une question de responsabilité, qui implique une tâche sociale, éthique et culturelle.

II

L'être humain a toujours été préoccupé par la forme de ses outils. Il ne lui suffit pas de voir les objets qui l'entourent répondre à des considérations uniquement pratiques. Ils doivent, en sus, être beaux. Nous avons l'impression que l'homme, de par l'aspect agréable qu'il donne aux choses, en prend réellement possession. Il noue avec elles des liens à la fois sensuels et intellectuels, leur confère une part de sa propre humanité.

Dans une civilisation artisanale, cette main, dont Emmanuel Kant fait le prolongement du cerveau humain, forme directement l'objet. Lorsque l'outil a été remplacé par la machine, que la manœuvre prit la succession du tour de main, on constata une dégénérescence générale des formes — moins due à la machine qu'au faux emploi de celle-ci. On la considérait uniquement comme moyen d'abréger le travail, et on lui demandait de reproduire des formes qui ne pouvaient naître que d'une main guidant un outil. Les résultats de cette erreur, causée par une naïveté maladroite, ce sont par exemple les chapiteaux en fonte des débuts de l'architecture en fer, les profils ou les ornements Renaissance sur des lits de métal ou des coffre-forts d'acier (voir à ce propos Hans Eckstein).

Nous connaissons tous ces ustensiles. Le côté indestructible qu'ils doivent à leur matière et à la technique a permis à nombre d'entre eux d'être en usage jusqu'à nos jours. C'est, après tout, à cette caractéristique que les produits allemands doivent leur renom, d'elle qu'est née la célèbre dénomination «Made in Germany». Mais même si ces produits mécaniques remplissent encore leur fonction, ils ne satisfont pas complètement l'individu. La qualité fonctionnelle, due au matériau et à la technique ne suffit pas plus que la forme esthétique à atteindre le niveau nécessaire; il y faut une fusion homogène de toutes ces particularités. Rabindranath Tagore résume ce problème lorsqu'il dit: «La ‚relation logique‘ qui s'exprime dans une phrase rationnelle et la ‚relation esthétique‘ des proportions dans une œuvre d'art ont un point commun. Elles nous donnent la certitude que la ‚vérité‘ ne réside pas dans les faits, mais dans l'harmonie de ceux-ci.»

Ces réflexions ne sont pas neuves, on le voit; elles ont simplement acquis, avec le début de l'ère de la machine, une présence et une actualité qui nous concernent tous. Elles témoignent d'un double sens de la responsabilité, sur le plan social comme sur celui de l'éthique. Et elles ont été reprises par des hommes désireux de les faire passer dans la pratique, surtout dans les pays fortement industrialisés — en Europe Centrale et plus particulièrement en Allemagne. Ainsi le sol se trouvait-il prêt pour cette rénovation spirituelle et artisanale qui dut son origine à l'Angleterre, et trouva son expression dans les mouvements dits de «Sécession». C'est seulement dans leur domaine d'influence qu'on peut observer, à l'époque, une tentative significative pour réconcilier l'art tout court avec l'art appliqué — rien de moins, par conséquent, qu'une alliance nouvelle entre art et vie, surmontant le dangereux obstacle de l'«art pour l'art». L'atmosphère sensible, raffinée des années 1900 avait donné un sens certain de la beauté des divers matériaux, de leurs lois particulières, des nuances dans leur proportion.

On constatait parallèlement une compréhension nouvelle d'époques historiques déterminées, en particulier de la dignité pleine de retenue des ustensiles issus d'Asie orientale. Tous ces facteurs conditionnèrent une discipline plus étroite imposée à la forme, à laquelle se combine, de façon homogène, l'effet propre du matériau.

Ces efforts intensifs faits en vue de perfectionner, de manière formelle, fonctionnelle, matérielle et esthétique, l'instrument fabriqué de main d'homme ne peuvent s'expliquer si l'on n'envisage une aspiration vers une civilisation humaine susceptible de remplir la totalité de la vie. Cette idée fut surtout propagée par ceux qui constituèrent, en 1907, le «Werkbund» pour la faire prévaloir. Une chose distingue le Werkbund de tous les mouvements de réforme contemporains; il ne s'est pas borné à émettre une théorie, mais a su, grâce aux travaux de ses membres, mettre celle-ci en pratique et lui donner valeur d'exemple. Ce travail s'est étendu à l'ensemble du milieu humain; il a eu ses répercussions aussi bien dans l'architecture que dans des objets conçus de façon fonctionnelle, mais répondant aux plus hautes exigences esthétiques de par leur harmonie et leur sobre décor.

Seuls des ouvrages de ce genre, réduits à l'essentiel — non par désir d'épuration, mais pour retrouver la vie dans une forme consciente — pouvaient ouvrir la route à une transposition de ce processus à la machine. Une autre considération s'ajoutait à celle-ci: le sentiment commun de la prépondérance que l'éthique sociale devait avoir sur l'esthétique. Pour les fondateurs du Werkbund, il était plus important de mettre des objets de qualité à la disposition d'un large public que de fabriquer des spécimens onéreux pour quelques clients fortunés. La seule machine permettait cette opération. On ne pouvait frayer de nouvelles voies en la refusant, mais bien plutôt en acceptant son emploi sous une perspective d'avenir — en s'efforçant de voir comment sa production pouvait être utile à l'homme, sur les plans fonctionnel et spirituel — c'est ce qu'exprime Walter Gropius: «L'artiste est capable d'insuffler une âme au produit mort de la machine, où sa force créatrice subsiste comme ferment vivant. Sa coopération n'est point luxe, ni adjonction bénévole; elle doit devenir un élément indispensable de la synthèse réalisée par l'industrie moderne... Il ne suffit pas d'engager des dessinateurs de modèles qui, contre un salaire minime, fabriqueront ‚de l'art' sept à huit heures par jour, feront exécuter à des milliers d'exemplaires des maquettes sans originalité et en inonderont le monde... De même que les inventions techniques ou l'administration d'une affaire réclament des esprits imaginatifs, de même la découverte de nouvelles formes inspirées veut-elle une puissance artistique, une personnalité réelles...» Ou encore Peter Behrens: «Il n'est pas juste de déclarer que le public réclame telle ou telle tendance, pour laquelle il paiera tel ou tel prix. Le public est, dans sa grande masse, absolument indifférent; il achète ce qu'il trouve sur le marché, et qu'on lui recommande avec insistance. Les produits dépourvus de goût sont dus à la dictature du voyageur de commerce, qui choisit les marchandises et les livre à l'acheteur. Combien d'entre nous pourtant sont en quête de formes plus nobles et généralement plus simples, qu'ils n'arrivent pas à trouver...»

L'idéal de cette action commune est clairement défini dans les phrases suivantes de Richard Riemerschmid: «Il serait complètement faux de croire que, dans toutes les classes et jusqu'au dernier manœuvre, il ne resterait plus aucune trace de l'opinion selon laquelle le beau est digne d'être créé et même acquis par certains efforts et sacrifices, mais qu'un travail absurde, dépourvu de goût et de valeur ne requiert aucune privation. La fierté de l'artisan, l'orgueil professionnel subsistent chez le plus simple ouvrier et forment le terrain le plus favorable à tous les bons élans; leurs résidus permettent de créer une joie réelle au travail, à condition que préexiste cette disposition chaleureuse, qui s'étend autour de l'ensemble comme une atmosphère amicale et féconde.»

Ces citations, prises parmi beaucoup d'autres, peuvent montrer combien on s'est efforcé de propager cette conviction. On ne négligeait naturellement pas la pratique immédiate. A côté des artistes qui figuraient au nombre des fondateurs du Werkbund, certains industriels partageaient les vues de ceux-ci; on se mit à les appliquer dans leurs fabriques. Peter Behrens fut le premier, grâce à la libéralité et à la compréhension de Walther et d'Emil Rathenau, à pouvoir exercer, dès 1907, une influence artistique réelle sur la production et l'architecture du consortium AEG. Sa collaboration ne se bornait pas au dessin de croquis ou de maquettes; l'artiste coopérait avec le constructeur, l'ingénieur de production et le chef d'entreprise, pour donner leur forme aux produits sortant des usines, et fixait en outre la «physionomie graphique» de la firme. Il fut le premier collaborateur artistique d'une grande entreprise, le premier styliste ou, plus exactement, le premier «industrial designer».

Son exemple permit la naissance d'une nouvelle branche professionnelle, qui est de plus en plus indispensable à notre société industrielle. Peter Behrens avait, comme Henry van de Velde, Richard Riemerschmid, Mies van der Rohe et Walter Gropius, fait œuvre de pionnier en se créant son propre marché. Ces hommes n'étaient pas seulement, ce faisant, les professeurs de stylistes; leurs écrits les rendaient éducateurs du peuple. Ils suscitaient le désir, la demande — dont l'intérêt n'est pas seulement commercial — vers un monde dont la forme serait meilleure (c'est l'expression de J. Ernst) et furent les intermédiaires nouveaux entre consommateur et producteur.

III

Ces débuts d'un stylisme industriel conscient remontent à deux générations déjà; aujourd'hui, dans tous les pays industriels du monde, on est convaincu que le soin apporté à la forme est un facteur capital en économie politique, que le négoce, si rationnel fût-il, et surtout parce qu'il l'est, n'a pas le droit d'ignorer. L'économie politique elle-même, en tant que science, apporte de plus en plus d'attention à ce problème, intégrant les éléments irrationnels qui appartiennent en dernière analyse au jugement porté sur une forme, au sein des faits rationnellement préhensibles qui font la matière de l'économie. Ces termes de rationnel et d'irrationnel indiquent les deux pôles entre lesquels doit se mouvoir finalement le stylisme. Indépendamment de toutes les formulations subjectives qui sont possibles entre ces deux extrêmes, on peut considérer que le sens d'un stylisme industriel réside dans la liaison harmonieuse et intelligente de ces deux éléments. L'intérêt et la difficulté de la tâche résident dans la nécessité de surmonter les contrastes naturels entre technique et forme. Ses résultats ne pourront donc pas se mesurer à l'aune de ce qu'on appelle généralement «art», car «les produits industriels ne naissent pas dans l'univers clos d'un atelier, mais en usine où ils sont l'œuvre collective de tous ceux qui y ont travaillé. Ce n'est pas ainsi qu'apparaissent les œuvres d'art. Cependant, nous parlons de contribution artistique, pour définir ce qui ne serait pas explicable autrement» (W. Wagenfeld).

Les produits industriels de forme satisfaisante ne frappent pas l'attention; le champ laissé à l'expression individuelle s'est trouvé extrêmement réduit depuis le siècle dernier. Or ils ont la même nature que les nombreux biens de consommation des civilisations pré-industrielles, à qui l'on donnait généralement une forme sobre dépendant de leur fonction, et dont la production était réalisée parallèlement à celle des œuvres d'art — dans lesquelles une époque se reflète pour nous. Les objets de cette espèce ne prétendaient nullement à représentation; ils étaient utiles, authentiques. Des traits semblables ont subsisté dans divers produits techniques des débuts de l'industrialisation — mais seulement dans la mesure où on ne leur prêtait pas de prestige. Cette attitude en face de la forme implique que la création jette un pont intellectuel, tout en se soumettant aux exigences rationnelles de l'économie. Et celles-ci sont clairement définies. La fin dernière de toute activité industrielle, la production de marchandises, doit être rentable et garantir des bénéfices. Une entreprise est soumise aux lois de l'ordre et de l'économie qui régissent aussi, en dernière analyse, le travail du styliste. Ce monde ne sera pour lui un champ d'activité fécond que s'il réussit à entrer en contact étroit avec le constructeur, le directeur de fabrication, le contremaître et l'ouvrier à son établi, aussi bien qu'avec le spécialiste de l'analyse de marché, le chef des ventes et celui de la publicité.

C'est seulement au prix d'une intégration dans cet ensemble de relations fort diverses qu'il arrivera à créer des formes harmonieuses avec les moyens les plus restreints et les plus simples. Car le stylisme industriel ne concerne pas seulement l'aspect visible du produit fabriqué; il n'est pas une «confection d'enveloppes» (W. Wagenfeld), mais embrasse en même temps la stricte calculation d'un prix, ainsi qu'une production économique, conforme au matériel et à la fonction. La forme dépend de la structure technique et du but du produit, relève donc de données objectives. Ce processus d'intégration d'exigences techniques et formelles est, selon Fritz Eichler (Form 1963, n° 23) extrêmement difficile et compliqué. Ce problème se pose toujours «lorsque deux individus mettent leur imagination à une même besogne et doivent arriver à une solution commune en partant de points différents. En particulier, dans le cas d'ustensiles techniques délicats, ils peuvent se compliquer mutuellement l'existence; l'un s'en tiendra obstinément à la solution constructive qui aura été trouvée, et la défendra contre toute idée nouvelle et tout vœu justifié avec l'argument désarmant: «impossible sur le plan technique»; l'autre se ruera sur une forme utopique, posant des conditions qui ne tiendront pas compte des données et des virtualités techniques et qui sera vraiment «impossible sur le plan technique». Cependant, même si tous deux sont compréhensifs, l'espèce d'aventure que constitue toute création technique compliquée implique assez de difficultés et de surprises inattendues dans le domaine du concret, pour que le travail du styliste, souvent poussé fort loin, soit réduit à néant et que des frottements s'ensuivent. Il ne faut pas non plus négliger l'aspect humain du problème. Le technicien ne fait pas qu'accomplir son travail; il s'intéresse au produit. Il le considère comme sa propriété, comme son enfant; il ne souhaite guère, voire absolument pas le partager avec autrui. Il souhaite qu'il ait du succès et sent qu'il doit, pour cela, être «beau». Beau, c'est-à-dire qu'il lui plaira, qu'il correspondra à son goût. Que le goût du styliste soit souvent totalement différent, c'est là chose évidente . . .»

Nous assistons donc à la rencontre de deux problèmes qui réclament des dons propres et différents — «D'un côté, de vastes capacités de technicien et de constructeur, de l'autre un talent plastique, tourné vers la fonction humaine de l'objet, marqué d'intuition psychologique, et même — pour employer deux termes dont a tant abusé qu'on s'en méfie — de «goût artistique». Le goût artistique? ce n'est pas seulement un don inné, mais le résultat d'une évolution. Celle-ci provient d'un contact permanent et systématique avec des problèmes esthétiques et formels, fondé sur des tâches concrètes, d'une longue expérience marquée d'erreurs et de repentirs; elle s'oriente vers le dépassement des jugements subjectifs et l'accès à l'objectivité. Celui qui est conscient de la nature de ce «goût» ne peut qu'être humble.»

Ces propos d'un spécialiste indiquent les problèmes extérieurs et intérieurs qui conditionnent la tâche du styliste. L'intervention de facteurs économiques complémentaires les rend plus complexes encore. D'eux dépendent l'image d'une profession et l'étendue de son domaine d'action. Les exigences formulées par Raymond Loewy, selon lequel le styliste devrait avoir toutes les qualités d'un constructeur de navires, d'un décorateur, d'un psychologue, d'un artiste, d'un ingénieur universel, d'un chimiste, d'un physicien, d'un technicien des matériaux, d'un vendeur et surtout d'un négociant, sont naturellement tout à fait utopiques. Cependant, il doit pour le moins posséder des dons de créateur et d'organisateur, un goût artistique très fin, le sens de la psychologie et de la technique et une force spéciale de caractère; celle-ci est nécessaire lorsqu'il s'agit de subordonner des désirs esthétiques personnels à des nécessités concrètes, et donc économiques, pour échapper au danger permanent de «corruption artistique» (Braun-Feldweg).

Inutile d'ajouter que le domaine ainsi ouvert est de dimensions infinies. Le styliste, qu'il soit employé de temps à autre par une fabrique ou qu'il appartienne de façon constante au service compétent d'une entreprise, ne pourra pas concentrer exclusivement son activité sur quelques produits. Comment pourrait-il être indifférent à la manière dont ceux-ci sont empaquetés, exposés ou vendus, à la publicité qu'on leur fait, au milieu surtout dans lequel ils sont nés? La «physionomie» d'une fabrique dépend de cette conception, d'une étroite dépendance réciproque. Aucun collaborateur artistique d'une usine n'est à même de résoudre, à lui seul, ces problèmes. Dès lors que la firme s'accroît, une répartition des tâches devient nécessaire. L'architecte et le graphiste publicitaire formeront, avec le styliste du produit, une équipe orientée vers un but unique. On doit, bien sûr, admettre une certaine spécialisation à condition que celle-ci ne mène pas à un isolement total. Même dans ce cas, le styliste se voit confronté à des problèmes considérables; car sa besogne peut s'étendre à tous les produits caractérisés par une élaboration et une mise en œuvre. Il est même évident, aujourd'hui, qu'il s'occupe surtout de produits utilitaires, de produits de consommation quotidienne, établissant ainsi un rapport étroit avec l'individu; mais il ne peut délaisser les réalisations purement techniques, telles que les moteurs, les tours, les presses, les grues, etc. Ainsi s'agit-il de négoce au sens le plus large du terme — produits industriels ainsi que produits artisanaux, dont les caractéristiques se mettent à ressembler de plus en plus à celles de l'industrie.

Cette intégration dans un stylisme à la fois artisanal, industriel et technique requiert un processus de spécialisation, sans pour autant dépasser le domaine de la technicisation nécessaire pour d'autres disciplines intellectuelles, ni courir de risques. Afin d'atteindre ces buts, l'initiative et la responsabilité de l'entrepreneur sont d'une importance beaucoup plus considérable. Les produits industriels, on n'en doute plus aujourd'hui — et particulièrement ceux qui sont fabriqués en masse — constituent un critère essentiel du niveau culturel d'un pays.

Si l'on constate pourtant par ailleurs «que l'industrie manquait et continue souvent à manquer de conscience culturelle» (Prinz Ludwig von Hessen und bei Rhein), il faut espérer que les entrepreneurs eux-mêmes remédieront à cet état de choses; c'est à eux qu'il revient de déterminer le «comment» et le «pourquoi» de la production. La thèse selon laquelle «le marché réclame tel objet» n'engage que partiellement l'entrepreneur qui a adopté le parti du stylisme; — car celui-ci réclame une influence active sur le niveau qualificatif de la demande. La tâche de l'entrepreneur devrait donc être de fabriquer des produits qui satisfassent aux voeux du consommateur tout en remplissant une mission culturelle. Il serait faux, du point de vue moral, de ne voir dans le stylisme qu'une occasion de remporter un succès commercial rapide. Le devoir ainsi proposé implique une nouvelle orientation d'esprit et le ferme vouloir de persévérer patiemment dans la voie où l'on s'est engagé. (R. Dirkmann). Grâce au travail réalisé dans l'industrie, à la compréhension de quelques entrepreneurs et à une œuvre pédagogique entreprise depuis longtemps, on ne se borne plus à acquérir de plus en plus le sens de la forme moderne; la «forme» en soi est devenue un argument de vente majeur. C'est là une évolution louable, mais ces efforts ne laissent pas d'entraîner de nouvelles difficultés. Les spécialistes de la publicité ont dévalorisé les arguments qui servaient de critère. La notion de «forme» n'échappe donc pas au processus d'usure qui caractérise l'industrie. Le désir du «nouveau modèle» annuel est un symptôme de l'économie du superflu. Il s'oppose absolument à la valeur permanente des formes de qualité, découle d'une spéculation sur de nouveaux bénéfices et rejoint la croyance primitive au progrès. Le «Styling», un vieillissement artificiel, une modification de formes sans nécessité interne sont la suite de ce phénomène. Un autre ennemi de l'objet utile, pratique, élégant et de prix raisonnable se trouve être le plagiat. L'industriel inconscient de ses responsabilités, qui n'a pas pris de risques, ni fait œuvre de pionnier, tire des avantages sonnants et trébuchants de la besogne de ceux qui ont eu plus d'audace ou plus d'idéal. Ceci ne contribue pas à faciliter les efforts faits en vue d'obtenir une forme de qualité, mais ces abus eux-mêmes montrent le succès, de ces essais, car le fait est que le niveau des biens de consommation s'est amélioré au cours des dernières années, et que tous ces produits peuvent être acquis par n'importe qui.

IV

Cette dernière constatation nous amène à examiner la fonction du stylisme par rapport aux débouchés. L'économie moderne présente sur ce plan des caractéristiques très diverses; la forme servira surtout à différencier les produits, mais exerce aussi une influence sur les autres facteurs de la concurrence. Une nette différenciation des produits ne joue un rôle que dans les sociétés hautement industrialisées, lorsqu'une offre plus qu'abondante a atteint, grâce à une certaine perfection technique, un niveau matériel élevé. Ainsi les produits finissent-ils par se ressembler de plus en plus; leurs particularités techniques ne permettent plus de les différencier suffisamment quand ils entrent en concurrence. L'entrepreneur devra forcément chercher de nouveaux critères particuliers à son produit. Or le stylisme est certainement un moyen de parvenir à cette différenciation imposée par la concurrence. La nécessité économique de son intégration, provoquée par des motifs extérieurs, nous saute aux yeux; mais on ne doit pas en oublier pour si peu l'essence profonde du stylisme, car il faut tenir compte de sa motivation sociale et éthique.

Certes, la différenciation des produits réalisée par le stylisme contribue à élargir l'offre; la liberté du choix entre produits de caractère différent donne à l'homme une nouvelle confirmation de son individualité, lui apporte un substitut de cette évolution créatrice restreinte ou compromise par la production moderne à la chaîne; mais d'autre part, sans la compensation d'une responsabilité également éthique, les périls signalés plus haut ne cessent de croître. Nous savons tous que l'industrie d'un pays à la technique développée est susceptible de couvrir les besoins essentiels de la population en ne mettant en œuvre qu'une partie de sa capacité. Si l'on réussissait à placer les forces dont on dispose au service d'une offre de qualité, que la démocratisation de la demande ne suffirait pas à restreindre, le sens de la qualité, dans l'acceptation générale du terme, pourrait se répandre de plus en plus. Comme la «qualité» ne relève pas seulement des caractères du produit qu'on peut noter objectivement, mais aussi du degré d'utilité qu'elle possède, les biens de qualité possèdent par conséquent une vertu d'emploi qui doit influencer de manière positive la vie individuelle et la vie collective. Comme le stylisme implique en outre la sélection des produits et des conditions de production favorables, il s'ensuit — ce qu'on peut déjà observer partiellement — une amélioration des conditions de concurrence qui sont celles des produits «stylisés» et une baisse des prix. Il suffia de rappeler ces quelques faits pour souligner l'importance économique prise par le stylisme, en tant que facteur intégré d'un produit dans tous les pays industriels et, par conséquent, en Allemagne. Pour notre état comme pour tous ceux qui ne peuvent renoncer à l'exportation, ce problème est majeur, voire vital. Depuis la fin de la première guerre, c'est devenu un lieu commun d'affirmer qu'un pays comme l'Allemagne, qui dispose de peu de matières premières et est obligé d'acheter chèrement la plupart de celles-ci à l'étranger, doit exporter des objets de prix, dont la valeur dépend beaucoup plus de leur mise en œuvre que de la matière brute. Les produits ayant une grande valeur de travail permettent une importation accrue de matières premières. On sait également que le prestige culturel d'un pays est accru par la qualité de ses exportations — en l'espèce, de produits dont nous avons déjà défini le niveau. Une telle exportation réclame pourtant, comme tout achat, l'établissement de relations entre un acheteur et un client qui possèdent déjà des bases intellectuelles communes, ou qui voient celles-ci se créer par une certaine adaptation du producteur. De plus, l'exportation de qualité n'est possible que vers les pays où l'on réclame des produits «de qualité». Ceux-ci s'efforcent évidemment de fabriquer eux-mêmes les marchandises en question, et de ne plus les importer. Cette tendance trouve ses limites dans le cas où une nation présente, dans certains domaines, des réalisations exceptionnelles, auxquelles d'autres pays, même mus par un désir de forme analogue, ne peuvent atteindre. L'activité des exportations futures en dépendra, d'autant plus que la libération croissante des échanges, en Europe comme outre-mer, conduit à une concurrence toujours plus vive, qui se manifeste dans les services et dans les prix; seules les meilleures réalisations pourront déterminer les tarifs. La condition préalable à toute exportation est un marché intérieur qui suscite les forces créatrices, les alimente et leur permette de fécondes expériences. Outre cette concurrence de la forme qui est celle des pays industriels sur leurs propres marchés, il existe naturellement des débouchés dans tous les pays qui possèdent, pour une bonne part, des habitudes et des conceptions formelles tout autres. L'industrie allemande et ses branches exportatrices s'étaient acquis la réputation de s'adapter particulièrement bien à ces exigences étrangères, surtout sur les continents africain et asiatique. Mais l'évolution des pays qui cherchent énergiquement à adopter une physionomie de pays industriel requerra bientôt un rapprochement entre l'image de l'étranger et la nôtre; il faudra confier les relations extérieures à des gens au courant des données du marché et susceptibles d'intuition psychologique. Une politique économique soucieuse d'une exportation de qualité doit donc étudier systématiquement les marchés étrangers capables d'évoluer, pour voir comment ils accepteront de nouvelles formes; partout où l'on pourra vendre des produits «stylisés», on créera un point d'appui pour le commerce de l'avenir (d'après E. Meissner).

Avant 1933, l'Allemagne était en train de s'assurer une position prédominante dans le domaine du stylisme. La meilleure preuve en est la réaction de l'Angleterre vis-à-vis du mouvement du Werkbund. Clutton Brock écrivait, entre autres, en 1916: «. . . Le succès allemand dans ce domaine n'est pas dû à la seule concurrrence. Les Allemands l'ont obtenu, non parce qu'ils avaient les yeux fixés sur nous, mais parce qu'ils s'occupaient de leur affaire. Nous devrions plutôt imiter leur attitude que copier leurs produits . . .»

La réputation allemande dans ce domaine n'est pas éteinte. Certes, elle n'a pas atteint le niveau qu'elle avait connu, mais pourrait être ravivée. La contribution que l'Allemagne peut apporter à la forme d'un produit ne réside pas tellement dans la fantaisie et l'extraordinaire, mais plutôt dans la distinction classique et pratique. On peut constater en général un certain manque d'élégance constructive; mais cette lacune est compensée par une sobriété légèrement ascétique, qui marque les meilleurs produits allemands et les protège partiellement contre les dangers du modernisme. Des marchandises allemandes ayant une forme heureuse reflétent donc aussi, dans leurs qualités formelles et esthétiques, certaines caractéristiques positives des composantes rationnelles, auxquelles se rapportait à l'origine l'emploi général de «Made in Germany». Ceci prouve que l'intégration souhaitée au début de ces lignes, entre valeurs technico-matérielles et esthético-formelles, ne semble pas utopique, mais a déjà été réalisée pratiquement en Allemagne dans un certain nombre de cas. D'autre part, il ne faut pas oublier que la force de suggestion du «Made in Germany» est essentiellement déterminée par les qualités d'un produit dont la raison rend compte. Les enquêtes ont confirmé ce fait; elles montrent qu'on prône surtout à l'étranger les biens d'investissement allemands, tels que machines ou outils, les biens d'usage comme automobiles, appareils de photo ou de radio, machines à écrire, mais beaucoup moins les biens de consommation où les valeurs esthétiques et formelles passent au premier plan, voire sont prédominantes. Ce phénomène prouve d'une part la ténacité des idées toutes faites, mais de l'autre l'absolue nécessité de faire des efforts particuliers dans le domaine des biens de consommation, afin de faire réviser l'opinion courante, en lui rappelant les produits de qualité qui existent et en s'efforçant constamment d'améliorer ceux-ci. On peut en arriver à quelques conclusions générales: «Made in Germany», comme symbole d'une qualité déterminée, reste aujourd'hui encore un argument de vente valable, bien que sa portée soit différente de pays à pays, de branche à branche et de produit à produit. Ce niveau doit être conservé. Si l'on a égard à la libération progressive et à la concurrence renforcée qui s'ensuit, seule une augmentation de qualité permettra de l'assurer; elle doit embrasser tous les facteurs qu'implique cette notion — un service adéquat, un prix concurrentiel, des relations d'affaires correctes étant presque aussi importants que le produit lui-même, dont la forme joue un rôle beaucoup plus grand qu'au cours des décennies passées. Le fait de négliger celle-ci — nombre d'exemples le prouvent — peut faire perdre une large part du marché; le soin qu'on lui apporte ouvre de nouveaux débouchés, et, indépendamment de considérations rationnelles et économiques, peut transmettre des valeurs n'obéissant plus à des considérations nationales ou financières, mais bien susceptibles de servir l'existence psychique de l'homme. On sait en général que le milieu peut largement influencer l'être humain. Les objets dont il s'entoure ou dont il est entouré ne sauraient donc être indifférents, non plus que leur qualité bonne ou mauvaise. Car leur influence sera positive ou négative. Voilà pourquoi tout pays et toute entreprise qui s'occupera de qualité, dans le sens large du terme, contribuera à améliorer notre existence. C'est à ce point de vue qu'il convient d'abord de considérer les images qui suivent. Elles voudraient fixer en quelques paradigmes l'apport allemand à la «forme satisfaisante».

Bildteil — Photo Section — Table des planches

Ausgewählte Beispiele guter Industrieprodukte
Illustrations of good industrial products
Exemples choisis de produits industriels de qualité

Gliederung — Classification — Classement

Gefäße und Geräte in der Wohnung
Domestic ware and appliances
Récipients et ustensiles ménagers

Spielzeug, Lampen, Textilien, Möbel
Toys, lamps, textiles, furniture
Jouets, lampes, textiles, meubles

Radio-Phono-Geräte, Projektoren usw., Sportgeräte
Radio and sound equipment, cameras, projectors etc., sport articles
Radios et phonos, caméras, projecteurs, appareils photo, articles de sport

Bürogeräte
Office equipment
Equipement de bureau

Wissenschaftliche Geräte und Instrumente, feinmechanische Werkzeuge
Scientific apparatus and instruments, precision tools
Ustensiles et instruments scientifiques, outils mécaniques de précision

Fahrzeuge
Vehicles
Véhicules

Maschinen, Großgeräte und -anlagen
Machinery, heavy equipment and installations
Machines, appareillages et installations d'ensemble

Salatkabarett — Hors d'œuvre dishes — Service à hors d'œuvre
Material — Matériel: Rostfreier Edelstahl — Stainless steel — Acier inoxydable
Hersteller — Manufacturer — Fabricant: C. Hugo Pott, Solingen
Design — Création: Carl Pott

Teekanne, Wasserbehälter, Sahnekännchen und Zuckerdose — Teapot, hot water jug, cream jug and sugar-basin — Théière, pot à eau, crémier et sucrier
Material — Matériel: Massiv Silber oder Alpacca versilbert, Griffe aus Teak- oder Ebenholz — Solid silver or silver-plated, teak or ebony handles — Argent massif ou alpax argenté, poîgnées en teak ou en ébéne
Hersteller— Manufacturer — Fabricant: J. Kühn, Schwäbisch Gmünd
Design — Création: Prof. Karl Dittert

Tafelgeschirr «Arzberg 2200» — Dinner service «Arzberg 2200» — Service de table «Arzberg 2200»
Hersteller — Manufacturer — Fabricant: Porzellanfabrik Arzberg, Arzberg/Oberfranken
Design — Création: Heinrich Löffelhardt

Tafelgeschirr «Arzberg 2050» — Dinner service «Arzberg 2050» — Service de table «Arzberg 2050»
Hersteller — Manufacturer — Fabricant: Porzellanfabrik Arzberg, Arzberg/Oberfranken
Design — Création: Heinrich Löffelhardt

Kombinationsgeschirr «Novum 65» — All-purpose service «Novum 65» — Service à combi-
naison «Novum 65»
Hersteller — Manufacturer — Fabricant: Porzellanfabrik Lorenz Hutschenreuther AG.,
Selb/Bayern
Design — Création: Heinz H. Engler

Teekannen 21—35 und 21—80 — Teapots 21—35 and 21—80 — Théières 21—35 et 21—80
Hersteller — Manufacturer — Fabricant: Melitta Werke, Bentz & Sohn, Minden/Westfalen
Design — Projet: Werkentwurf — Melitta design — Bureaux d'études de l'usine

Gläser «Whisky» und «Eiger» — Glasses «Whisky» and «Eiger» — Verres «Whisky» et
«Eiger»
Hersteller — Manufacturer — Fabricant: Glaswerke Ruhr, Essen
Design — Projet: Werkentwurf — Glaswerke Ruhr design — Bureaux de l'usine

Hotelgeschirr «Schönwald 498» — Hotel table-ware «Schönwald 498» — Vaisselle pour hôtel «Schönwald 498»
Hersteller — Manufacturer — Fabricant: Porzellanfabrik Schönwald/Oberfranken
Design — Création: Heinrich Löffelhardt

Gläser der Kelchglasgarnitur 1007 – Glass service 1007 – Verres de la série 1007
Hersteller – Manufacturer – Fabricant: Vereinigte Farbenglaswerke AG., Zwiesel/Bayern
Design – Création: Heinrich Löffelhardt

Vasen aus Glas — Glass vases — Vases en verre
Hersteller — Manufacturer — Fabricant: Württembergische Metallwarenfabrik AG. (WMF), Geislingen/Steige
Design — Création: Prof. Wilhelm Wagenfeld

Feuerfestes Haushaltsgeschirr — Fire-proof dishes — Vaisselle allant au feu
Hersteller — Manufacturer — Fabricant: Jenaer Glaswerk Schott & Gen., Mainz
Design — Création: Heinrich Löffelhardt

Glaskrug mit Deckel 3260, feuerfest — Glass jug with lid 3260, fire-proof — Cruche en verre à couvercle 3260, allant au feu
Hersteller — Manufacturer — Fabricant: Jenaer Glaswerk Schott & Gen., Mainz
Design — Création: Heinrich Löffelhardt

Koch- und Tafelgeschirr «Rustika herdfest». Farben: braun, blau, grün in Unterglasur —
Kitchen and table ware «Rustika herdfest». Colours: basic glaze brown, blue and green —
Vaisselle de cuisine et de table «Rustika herdfest». Couleurs: brun, bleu, vert sous vernis
transparent
Hersteller — Manufacturer — Fabricant: Porzellanfabrik Weiden, Gebr. Bauscher, Weiden/
Oberpfalz
Design — Création: Heinz H. Engler

Geschirrsystem B 1100 für gastronomische Betriebe, Sanatorien, Kliniken und Kranken-
häuser — Crockery series B 1100 for hotels and restaurants, sanatoria, clinics and hospitals
— Systéme de vaisselle B 1100 pour restaurants ou hôtels, maisons de santé et hôpitaux
Hersteller — Manufacturer — Fabricant: Porzellanfabrik Weiden, Gebr. Bauscher, Weiden/
Oberpfalz
Design — Création: Heinz H. Engler

Kochtöpfe mit Isothermboden — Saucepans with isothermal base — Casseroles à fond
isotherme
Material — Matériel: Rostfreier Edelstahl — Stainless steel — Acier inoxydable
Hersteller — Manufacturer — Fabricant: Carl Prinz AG., Solingen-Wald
Design — Création: Prof. Wilhelm Braun-Feldweg

Bordgeschirr der «Deutschen Lufthansa AG.» — Lufthansa flight crockery — Couverts de bord de la «Deutsche Lufthansa»
Hersteller — Manufacturer — Fabricant: Ulrich Buchholtz KG., Berlin; Kaha, Kunststoffwerk Kurt Hädrich, Gießen
Design — Création: Hochschule für Gestaltung, Ulm

Vorratsbehälter des «Valon-Geschirrs» — «Valon» ware containers — Boîtes à provision
des «Couverts Valon»
Material — Matériel: Makrolon (Kunststoff) — Plastic — Matière plastique
Hersteller — Manufacturer — Fabricant: Reppel & Vollmann, Kierspe/Westfalen
Design — Projet: Werkentwurf — Reppel & Vollmann design — Bureaux de l'usine

Standard-Flasche aus Plastic für flüssige Reinigungsmittel jeder Art — Standard plastic container for liquid detergents, etc. — Flacon standard en plastique pour produits de nettoyage de toute espèce
Hersteller — Manufacturer — Fabricant: J. A. Schmalbach AG., Braunschweig
Design — Création: Theo Zeitler

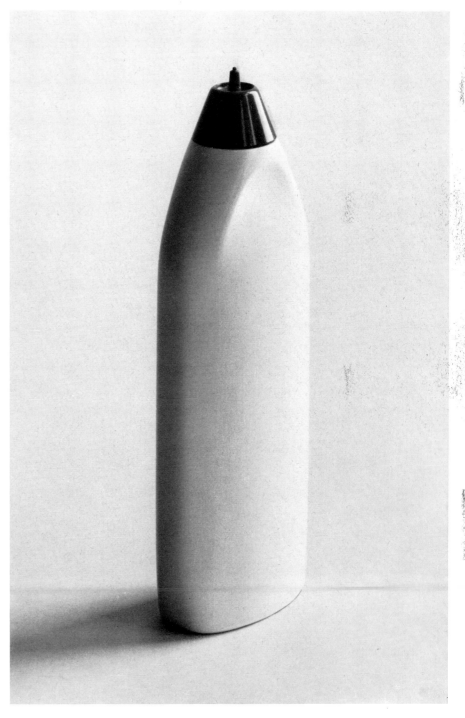

Pott-Bestecke 2720 — Pott cutlery 2720 — Couverts Pott 2720
Material — Matériel: 18/8 Chromnickelstahl — 18/8 nickel chrome steel — Acier au chrome-nickel 18/8
Hersteller — Manufacturer — Fabricant: C. Hugo Pott, Solingen
Design — Création: Paul Voß

Messer für Küche und Tisch – Knifes for kitchen and table – Couteausc pour la cuisine et la table
Hersteller – Manufacturer – Fabricant: FELIX Gloria-Werk, Solingen
Design – Création: Prof. Karl Dittert

Kaffee-Automat TC 12 — Automatic percolator TC 12 — Percolateur automatique TC 12
Hersteller — Manufacturer — Fabricant: Siemens-Electrogeräte AG., Berlin — München
Design — Projet: Siemens Abteilung Formgebung — Siemens Design Department — Section
de Design de la firme Siemens

Infrarot Grillgerät MX 1000 — Infra-red grill MX 1000 — Grill à infra-rouges MX 1000
Hersteller — Manufacturer — Fabricant: Schmidt & Co., Schwelm
Design — Création: Rido Busse

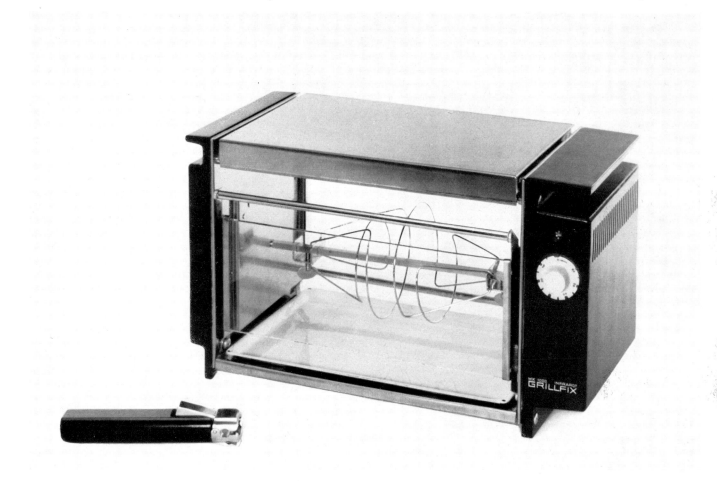

Küchenmaschine KM 2 – Electric mixer KM 2 – Mixer KM 2
Hersteller – Manufacturer – Fabricant: Braun AG., Frankfurt/Main
Design – Création: Braun Gestaltungsabteilung – Braun Design Department – Section
de Design de la firme Braun

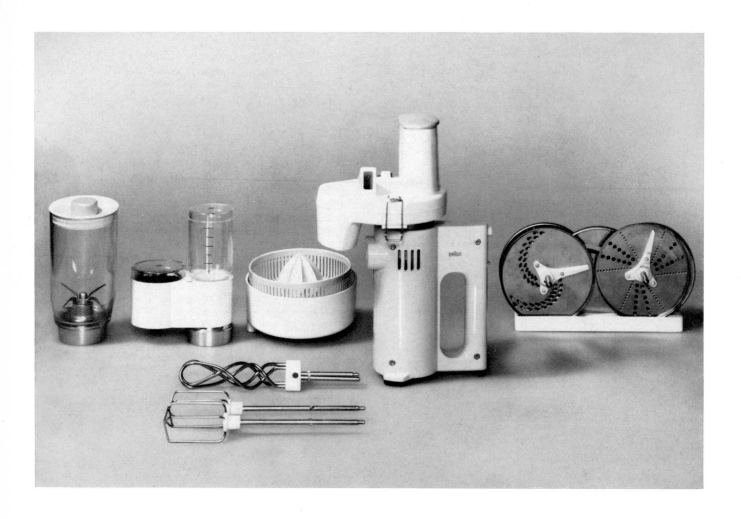

Haushalts-Waage — Domestic beam scales — Balance de ménage: WESTA Certa
Hersteller — Manufacturer — Fabricant: Westdeutsche Waagenfabrik Freudewald & Schmitt,
Wuppertal-Ronsdorf
Design — Projet: Interform, Wolfsburg

Automatic-Herd HS 3442 — Automatic range HS 3442 — Cuisinière automatique HS 3442
Hersteller — Manufacturer — Fabricant: Siemens-Electrogeräte AG., Berlin — München
Design — Projet: Siemens Abteilung Formgebung — Siemens Design Department — Section
de Design de la firme Siemens

Bosch-Kühlschrank GK 180 S mit Großraum-Froster, Spezialkältefach und Tropic-Kälte-
regler 180 l — Bosch refrigerator GK 180 S with high capacity froster, special freezing
compartment and tropic cryostat — Réfrigérateur Bosch GK 180 S, 180 l., avec freezer
ultra-dimensionnel, compartiment congélateur et réglage de température pour pays chauds
Material — Matériel: Stahl emailliert — Enamelled steel — Acier émaillé
Hersteller — Manufacturer — Fabricant: Robert Bosch GmbH., Stuttgart
Design — Projet: Werkentwurf — Bosch Design Department — Bureaux d'études de l'usine

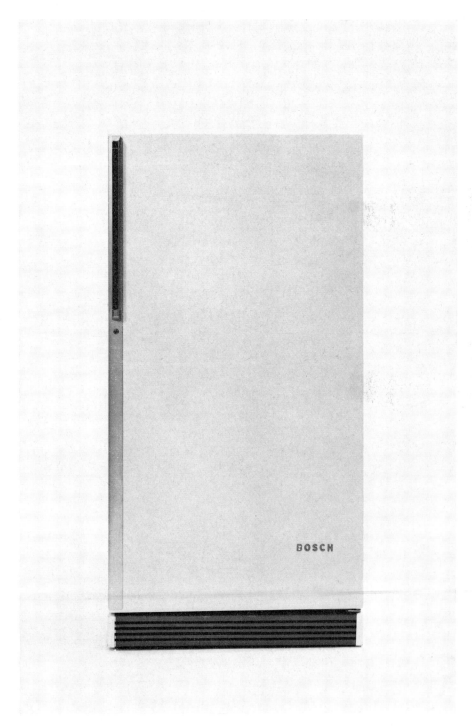

Nutzstich-Zickzack-Nähmaschine Pfaff 92 für den Haushalt — Portable sewing machine
Pfaff 92 for the household — Machine à coudre Pfaff 92 à zig-zag et à points utilitaires pour
le ménage
Hersteller — Manufacturer — Fabricant: G. M. Pfaff AG., Werk Karlsruhe-Durlach
Design — Création: Hans Gugelot

Vollautomatische Waschmaschine, Typ 1714 — Fully automatic washing machine, type 1714
— Machine à laver automatique, type 1714
Hersteller — Manufacturer — Fabricant: Hermann Zanker KG., Tübingen
Design — Création: Ernst Moeckl

Raum-Lüfter H 2 — H 2 room fan — Aérateur H 2
Hersteller — Manufacturer — Fabricant: Braun AG., Frankfurt/Main
Design — Projet: Braun Gestaltungsabteilung — Braun Design Department — Section
de Design de la firme Braun

Wanduhr 338/0047, matt verchromt mit transistor-gesteuertem Batteriewerk — Wall clock 338/0047, mat chromium-plated case, transistor-controlled battery movement — Pendule murale 338/0047, boîte métal chromé, mouvement à transistor
Hersteller — Manufacturer — Fabricant: Gebr. Junghans AG., Schramberg/Württemberg
Design — Création: Max Bill

Barometer 78 — Barometer 78 — Baromètre 78
Hersteller — Manufacturer — Fabricant: Moco-Barometerfabrik, Hamburg
Design — Création: Ralph Michel

Höhensonne 99 — Quartz lamp 99 — Lampe à rayons ultra-violets
Hersteller — Manufacturer — Fabricant: Quarzlampen Gesellschaft mbH., Hanau
Design — Projet: Werkentwurf — Manufacturer's design — Bureaux de l'usine

Rasierapparat «Braun sixtant» — Electric razor «Braun sixtant» — Rasoir électrique «Braun sixtant»
Hersteller — Manufacturer — Fabricant: Braun AG., Frankfurt/Main
Design — Projet: Braun Gestaltungsabteilung — Braun Design Department — Section de Design de la firme Braun

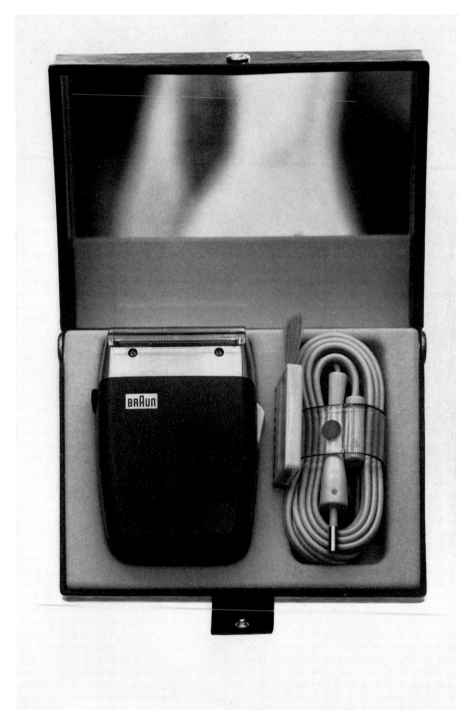

Braun Haartrockner HLD 2 — Braun electric hair-dryer HLD 2 — Séchoir à cheveux Braun
HLD 2
Hersteller — Manufacturer — Fabricant: Braun AG., Frankfurt/Main
Design — Création: Braun Gestaltungsabteilung — Braun Design Department — Section
de Design de la firme Braun

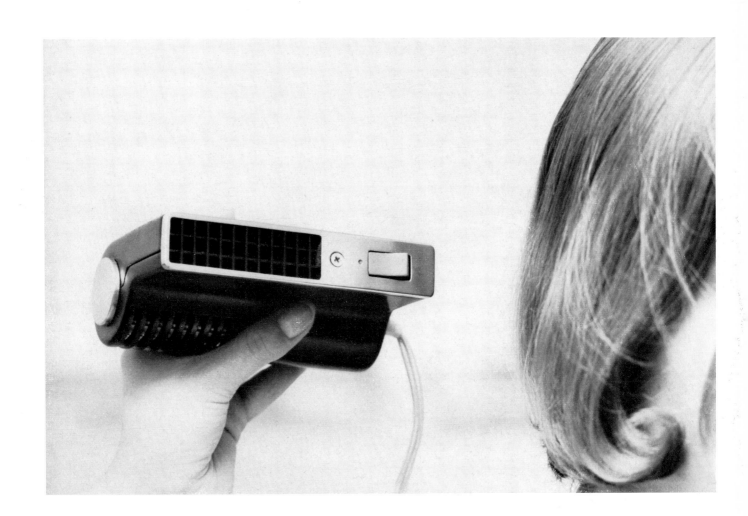

Heizkessel. 3 Typen einer Serie mit Leistungsbereichen von 25 500 bis 1 288 000 kcal/h.
— Heating system boiler. Three types of a series with heat liberation rates of 25 500—
1 288 000 kcal/h — Chaudière. 3 types d'une série, aux rendements allant de 25 500 à
1 288 000 kcal/h
Hersteller — Manufacturer — Fabricant: Ideal-Standard GmbH., Bonn
Design — Projet: Theo Zeitler und Konstruktionsbüro des Werkes — Theo Zeitler and
Ideal-Standard design — Theo Zeitler et bureau de construction de l'entreprise

Hochleistungskessel für Wohnungsheizung — Heavy duty boiler for domestic heating —
Chaudière à grand rendement pour chauffage ménager
Hersteller — Manufacturer — Fabricant: Summa Feuerungen GmbH., Schwarzenbach/Saale
Design — Construction: Dipl.Ing. Günter Fuchs

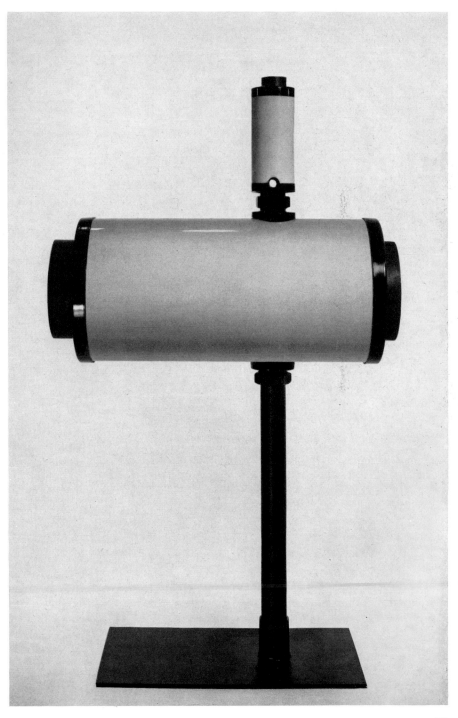

Batterie-Kleinlader — Miniature battery charger — Chargeur petit modèle
Hersteller — Manufacturer — Fabricant: Siemens & Halske AG., Berlin — München
Design — Projet: Siemens Abteilung Formgebung — Siemens Design Department — Section
de Design de la firme Siemens

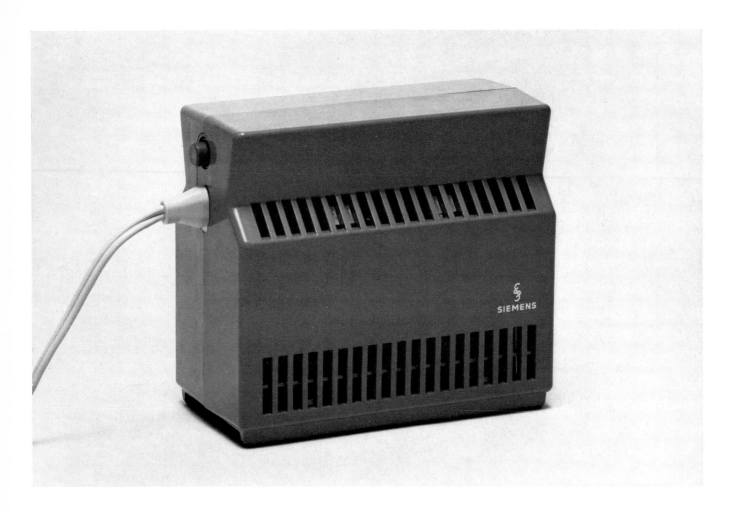

Schaltschrank WS 1 und Ölbrenner W 1 — Switch cabinet WS 1 and oil burner W 1 —
Armoire de manœuvre WS 1 et brûleur à mazout W 1
Hersteller — Manufacturer — Fabricant: Max Weishaupt GmbH., Schwendi/Württemberg
Design — Création: Hans Gugelot

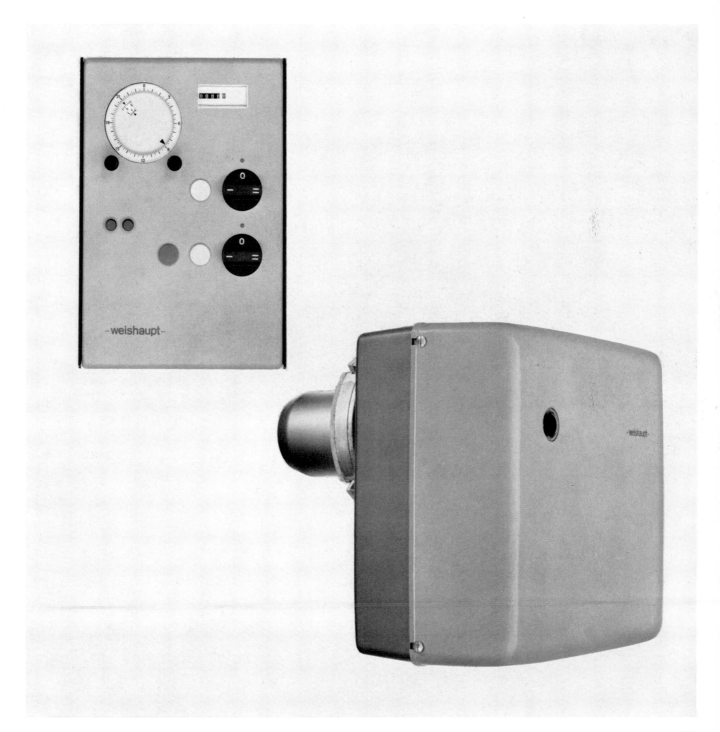

Tragbare Kleinpumpe 2 AD 1 — Portable pump 2 AD 1 — Pompe portative 2 AD 1
Hersteller — Manufacturer — Fabricant: Siemens-Schuckert-Werke AG., Berlin — Erlangen
Design — Projet: Siemens Abteilung Formgebung — Siemens Design Department — Section
de Design de la firme Siemens

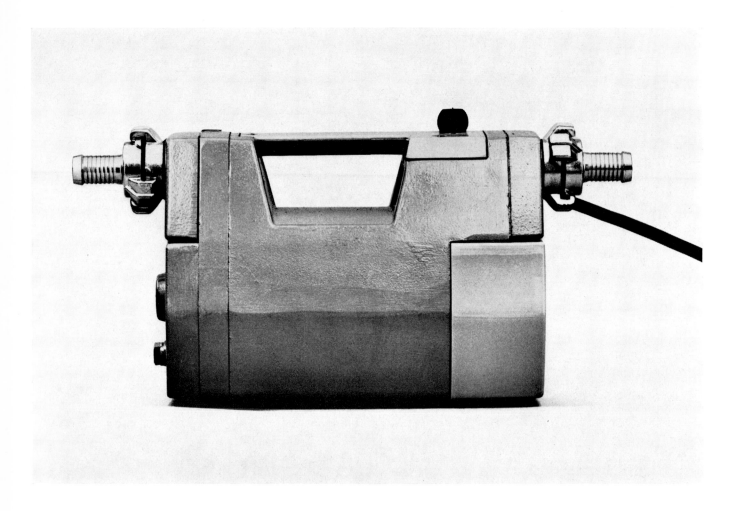

Spielzeug, Lampen, Textilien, Möbel
Toys, lamps, textiles, furniture
Jouets, lampes, textiles, meubles

Stoffpuppe «Kuni» — Cloth doll «Kuni» — Poupée en étoffe «Kuni»
Hersteller — Manufacturer — Fabricant: Käthe Kruse Puppen GmbH., Donauwörth
Design — Création: Käthe Kruse

Greiflinge «Allbedeut», Spielzeug aus Holz für Kleinkinder — Wooden rattles «Allbedeut»,
toys for small children — Crécelles «Allbedeut», jouets en bois pour tout-petits
Hersteller — Manufacturer — Fabricant: Wirtschaftsstelle GmbH., Arnsberg/Westfalen
Design — Création: Hugo Kükelhaus

Sandspiel-Schleppzug aus Holz — Wooden tow-boat toys for the sandpit — Remorqueur
en bois pour jouer dans le sable
Hersteller — Manufacturer — Fabricant: Friedrich Lienau, Fröbel Lehrmittel, Hamburg
Design — Projet: Werkentwurf — Lienau design — Bureaux de l'usine

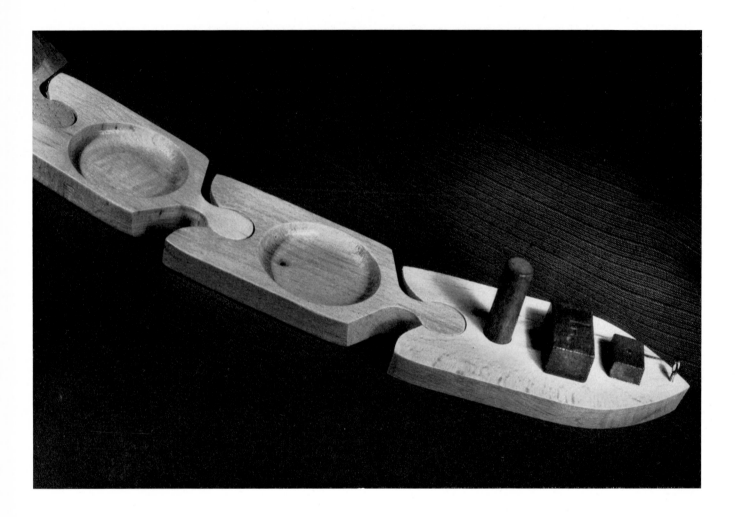

Ravensburger Spielemagazin — Assortment of Ravensburger Games — Magazine des jeux de Ravensburg
Hersteller — Manufacturer — Fabricant: Otto Maier Verlag, Ravensburg
Design — Conception: Ossi Weiss, Manfred Burggraf

Standlampe Nr. 438/CF — Standard lamp No. 438/CF — Lampadaire nᵒ 438/CF
Hersteller — Manufacturer — Fabricant: Ruser & Kuntner KG., Weil am Rhein
Design — Création: Hans-Jörg Walter, Josef Kuntner

Tisch- und Wandleuchte O 1124 D — Table and wall lamp O 1124 D — Eclairage de table et mural O 1124 D
Hersteller — Manufacturer — Fabricant: Kinkeldey-Leuchten, Bad Pyrmont
Design — Projet: Werkentwurf — Kinkeldey design — Bureaux de l'usine

Staff Strahlerleuchte 7142 (bis 40 W) mit hochwirksamem Spiegelreflektor — Staff radiant lamp 7142 (up to 40 W) with highefficiency reflektor — Réflecteur à miroirs 7142 Staff à haut rendement (lampe jusqu'à 40 W)
Material — Matériel: Körper aus mattgeschliffenem Aluminium — Body of matt-finished aluminium — Corps en aluminium mat poly
Hersteller — Manufacturer — Fabricant: Staff & Schwarz GmbH., Lemgo
Design — Projet: Werkentwurf — Staff & Schwarz design — Bureaux de l'usine

Ortsfeste Gartenleuchte — Garden lamp — Lampadaire fixe pour jardin
Hersteller — Manufacturer — Fabricant: BEGA Gantenbrink-Leuchten oHG., Menden/
Sauerland
Design — Projet: Werkentwurf — BEGA design — Bureaux de l'usine

«OLIVA/8350», bedruckter Vorhangstoff auf Leinen — «OLIVA/8350», printed linen curtain material — Lin imprimé pour rideaux «OLIVA/8350»
Hersteller — Manufacturer — Fabricant: Stuttgarter Gardinenfabrik GmbH., Herrenberg
Design — Création: Antoinette Goltermann

«TOSSOLL/8350», bedruckter Vorhangstoff auf Leinen — «TOSSOLL/8350», printed linen curtain material — Lin imprimé pour rideaux «TOSSOLL/8350»
Hersteller — Manufacturer — Fabricant: Stuttgarter Gardinenfabik GmbH., Herrenberg
Design — Création: Antoinette Goltermann

«Nobilis», ein Nevaflor-Teppichboden — «Nobilis», a Nevaflor carpet — «Nobilis», moquette en Nevaflor
Material — Matériel: Polkette 100 % Perlon texturiert — Pile warp 100 % textured Perlon — Polychaîne à 100 % de perlon
Hersteller — Manufacturer — Fabricant: Herforder Teppichfabrik Huchzermeyer & Co. GmbH., Herford
Design — Projet: Atelier HTF — HTF design — Bureaux de l'usine

BTF-Teppichboden UNI BOUCLET, rein Sisal — BTF wall-to-wall carpeting, plain bouclé, pure sisal — Moquette BTF UNI BOUCLET, 100 % sisal
Hersteller — Manufacturer — Fabricant: Bremer Tauwerk-Fabrik F. Tecklenborg & Co., Bremen-Vegesack
Design — Projet: Werkentwurf — BTF design — Bureau de l'usine

Teppichboden — Grey/white perlon carpeting — Moquette
Material — Matériel: Perlon-Rips, grau meliert — Rips de Perlon, mêté de gris
Hersteller — Manufacturer — Fabrikant: Anker-Teppich-Fabrik Gebr. Schoeller, Düren
Design — Projet: Werkentwuf — Manufacturer's design — Bureaux de l'usine

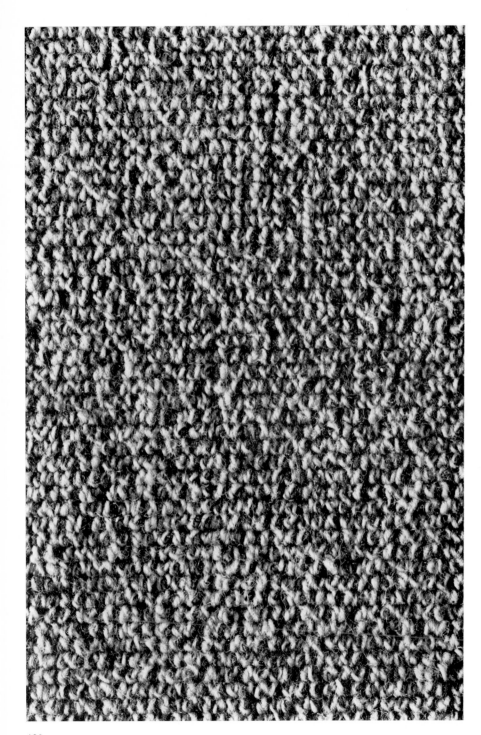

Sessel SBM 680, Sitzhöhe 34 cm — Chair SBM 680, height of seat 34 cm — Fauteuil SBM 680, hauteur du siège 34 cm
Material — Matériel: Zerlegbares, verchromtes Stahlgestell; Sitz und Lehne aus Leder — Chrome-plated steel frame which can be taken apart; leather seat and back — Armature d'acier chromé démontable, siège et dossier en cuir
Hersteller — Manufacturer — Fabricant: Wilde & Spieth, Obereßlingen/Neckar
Design — Création: Carl-Heinz Bergmüller, Ernst Moeckl

Sessel 1/14, Sitzhöhe 46 cm; Tisch 30/71, 140 x 100 cm — Armchair 1/14, height of seat 46 cm; table 30/71, 140 x 100 cm — Fauteuil 1/14, hauteur du siège 46 cm; table 30/71, 140 x 100 cm
Material — Matériel: Aluminium eloxiert, Nußbaum-Palisander — Aluminium anodized, walnut-rosewood — Aluminium oxydé, noyer-palissandre
Hersteller — Manufacturer — Fabricant: Lübke KG., Rheda/Westfalen
Design — Création: Ernst Moeckl

Stuhl B 32, Sitzhöhe 45 cm — Chair B 32, height of seat 45 cm — Chaise B 32, hauteur du siège 45 cm
Material — Matériel: Stahlrohr verchromt; Sitz und Rückenlehne mit Rohrgeflecht in schwarz lackiertem Holzrahmen — Chrome-plated tubular steel; seat and back of cane in black-painted wood frames — Tubes d'acier chromé; siège et dossier en paille tressée, cadre en bois verni noir
Hersteller — Manufacturer — Fabricant: Thonet AG., Frankenberg/Eder
Design — Création: Mart Stam

INwand (Schrank- und Trennwand) — INTERwall (cabinet wall and partition) — INTERpano
(armoire-cloison et cloison simple)
Hersteller — Manufacturer — Fabricant: Christian Holzäpfel KG., Ebhausen/Württemberg
Design — Création: Prof. Herbert Hirche

Bugholzstühle 214, 214 PF, Sitzhöhe 48 cm — Bent-wood chairs 214, 214 PF, height of seat 48 cm — Chaises en bois ployé 214, 214 PF, hauteur du siège 48 cm
Material — Matériel: Gestell aus massivem Buchenholz gebogen; Sitz aus Rohrgeflecht oder Flachpolsterung — Bent-wood frame of solid beech-wood; cane or upholstered seat — Armature de hêtre ployé, siège en paille tressée ou à coussin plat
Hersteller — Manufacturer — Fabricant: Thonet AG., Frankenberg/Eder
Design — Création: Michael Thonet

Bücherwand aus dem Kombinationsprogramm für Wohn- und Arbeitsräume — Book-shelf
partition, from the furniture to be combined in a scheme for living-room and study — Rayon-
nage-bibliothèque, combinaison pour pièce de séjour et de travail
Hersteller — Manufacturer — Fabricant: Deutsche Werkstätten Fertigungsgesellschaft mbH.,
München
Design — Création: Prof. Hans Hartl

Klappstuhl SE 18, Sitzhöhe 45 cm — Folding chair SE 18, height of seat 45 cm — Chaise pliante SE 18, hauteur du fond 45 cm
Material — Matériel: Buche, gebeizt oder furniert — Beech-wood, stained or veneered — Hêtre teinté ou plaqué
Hersteller — Manufacturer — Fabricant: Wilde & Spieth, Obereßlingen/Neckar
Design — Création: Prof. Dr. Egon Eiermann

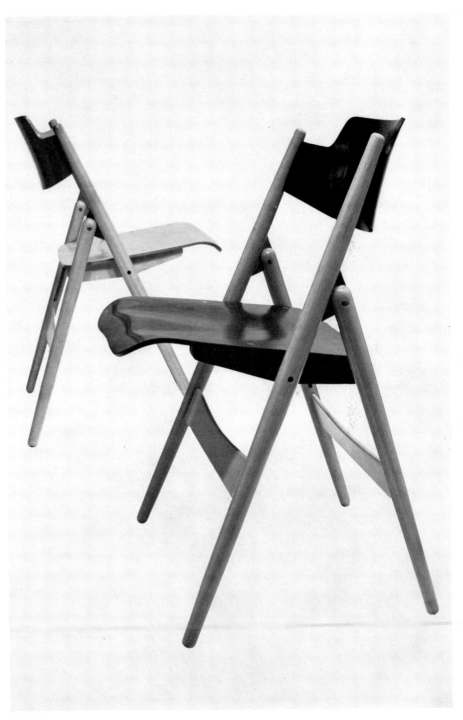

Halbhohe Schränke aus Elementen des Programmes M 125 — Medium-height cupboards,
part of the M 125 series — Armoires à mi-hauteur, composées d'éléments du programme
M 125
Material — Matériel: Trägerplatten beidseitig mit Kunststoff-Folie bezogen, Kanten furniert
— Shelves covered with plastic on both sides, veneered edges — Plaques portantes recou-
vertes sur les deux faces de feuilles de plastique, tranches plaquées
Hersteller — Manufacturer — Fabricant: Wilhelm Bofinger, Ilsfeld
Design — Création: Hans Gugelot

Anrichtemöbel DEWE 216 eines Wohnraumprogramms — Sideboard DEWE 216, part of a
living-room set — Desserte DEWE 216 pour un programme d'ameublement
Hersteller — Manufacturer — Fabricant: Deutsche Werkstätten Fertigungsgesellschaft mbH.,
München
Design — Création: Franz X. Lutz

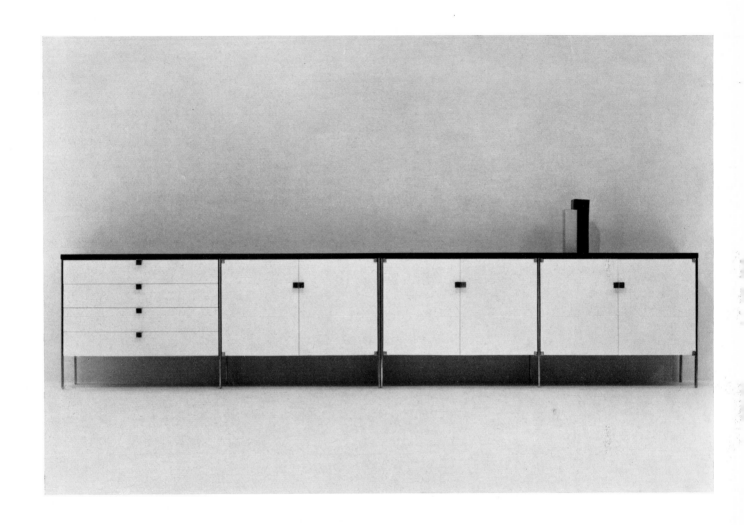

Sessel «Barcelona 250», Sitzhöhe 42 cm — Chair «Barcelona 250», height of seat 42 cm —
Fauteuil «Barcelona 250», hauteur du siège 42 cm
Material — Matériel: Gestell aus verchromtem Stahl; Lederpolster — Chrome-plated steel
frame; leather cushion — Armature d'acier chromé; revêtement de cuir
Hersteller — Manufacturer — Fabricant: Knoll International GmbH., Stuttgart
Design — Création: Prof. Ludwig Mies van der Rohe

Radio-Phono-Geräte, Kameras, Projektoren usw., Sportgeräte
Radio and sound equipment, cameras projectors etc., sport articles
Radio et phonos, caméras, projecteurs, appareils photo, articles de sport

Filmprojektor Nizo F P 1 (8 mm) — Film projektor Nizo F P 1 (8 mm) — Projecteur ciné-
matographique Nizo F P 1 (8 mm)
Hersteller — Manufacturer — Fabricant: Niezoldi & Krämer GmbH., München
Design — Projet: Braun Gestaltungsabteilung — Braun Design Department — Section de
Design de la firme Braun

Leica M 2 mit auswechselbaren Objektiven — Leica M 2 with various lenses — Leica M 2
avec objectifs interchangeables
Hersteller — Manufacturer — Fabrikant: Ernst Leitz GmbH., Wetzlar
Design — Projet: Werkentwurf — Leitz design — Bureaux de l'usine

Stereo-Steuergerät TC 20 (Radio, Phono/Band) — Control-centre TC 20 (Radio, record-player amplifier unit) — Boîtier de commande TC 20 (Radio, phono/magnétophone)
Hersteller — Manufacturer — Fabricant: Braun AG., Frankfurt/Main
Design — Projet: Braun Gestaltungsabteilung — Braun Design Department — Section de Design de la firme Braun

Nizo mit Vario-Objektiv Schneider Variogon, automatischer Belichtung und elektrischem
Lauf — Nizo Electric with Zoom lens, automatic exposure and electric drive — Nizo Elec-
tric avec objectif-variable Schneider Variogon, posomètre automatique et moteur électrique
Hersteller — Manufacturer — Fabricant: Niezoldi & Krämer GmbH., München
Design — Projet: Braun Gestaltungsabteilung — Braun Design Department — Section de
Design de la firme Braun

Filmprojektor BAUER P 6 (16 mm) — Film projector BAUER P 6 (16 mm) — Projecteur cinématographique BAUER P 6 (16 mm)
Hersteller — Manufacturer — Fabricant: Robert Bosch Elektronik und Photokino GmbH., Berlin
Design — Création: Bernhard Jablonski

Filmkamera BAUER Elektric S — Cine-camera BAUER Electric S — Caméra BAUER Elektric S
Hersteller — Manufacturer — Fabricant: Robert Bosch Elektronik und Photokino GmbH., Berlin
Design — Création: Bernhard Jablonski

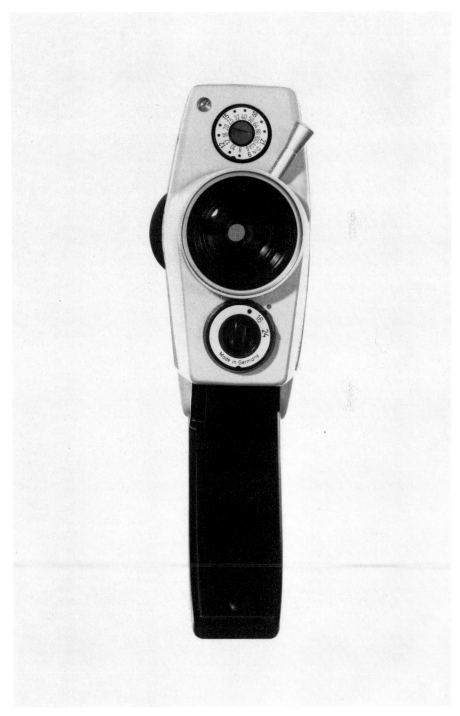

HiFi-Stereo-Plattenspieler PCS 5, HiFi-Radioempfangsteil (Tuner) CET 16, HiFi-Stereo-
Verstärker CSV 13 — HiFi stereo record player PCS 5, HiFi radio tuner CET 16, HiFi stereo
amplifier CSV 13 — Tourne-disques stéréo HiFi PCS 5, récepteur radio HiFi (Tuner) CET 16,
amplificateur stéréo HiFi CSV 13
Hersteller — Manufacturer — Fabricant: Braun AG., Frankfurt/Main
Design — Projet: Braun Gestaltungsabteilung — Braun Design Department — Section de
Design de la firme Braun

Automatischer Projektor «Pradovit» mit Fernsteuerung für Diawechsel oder Tonbandkopplung — «Pradovit» automatic projector with facilities for changing transparencies by remote control or by magnetic tape — Projecteur automatique «Pradovit» avec télécommande pour transport des dias ou synchronisation magnétophonique
Hersteller — Manufacturer — Fabricant: Ernst Leitz GmbH., Wetzlar
Design — Projet: Werkentwurf — Leitz design — Bureaux d'études de l'usine

Agfa Iso-Rapid C — Camera mit Blitzwürfel; Blitzwürfel-Transport ist mit Filmtransport gekoppelt — Agfa Iso-Rapid C, Camera with flash cube; stepping of flash cube is coupled with film transport — Agfa Iso-Rapid C, Appareil photo avec flash-cube. Transport du flash synchronisé avec celui du film
Hersteller — Manufacturer — Fabricant: Agfa-Gevaert AG., Camera-Werk, München
Design — Projet: Werkentwurf — Agfa-Gevaert design — Bureaux de l'usine

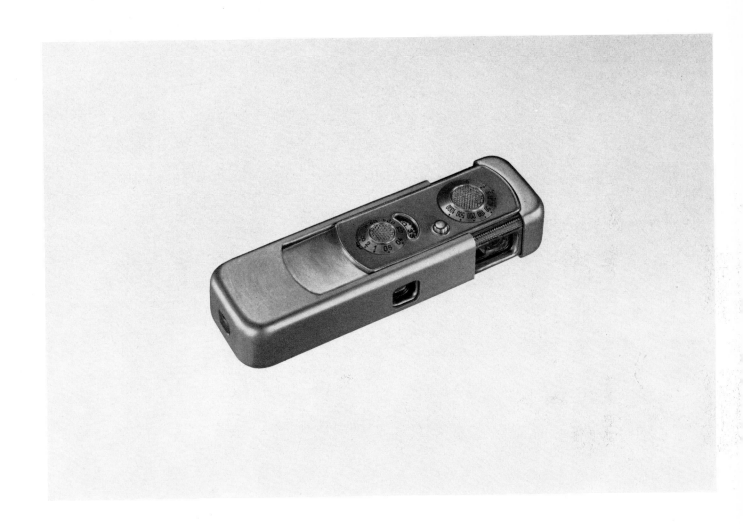

Kamera Aero Technica — Camera Aero Technica — Caméra Aero Technica
Hersteller — Manufacturer — Fabricant: Linhof Nikolaus Karpf KG., München
Design — Projet: Werkentwurf — Linhof design — Bureaux de l'usine

Tonbandgerät TG 60 — Tape-recorder TG 60 — Magnétophone TG 60
Hersteller — Manufacturer — Fabricant: Braun AG., Frankfurt/Main
Design — Projet: Braun Gestaltungsabteilung — Braun Design Department — Section de
Design de la firme Braun

Filmprojektor BAUER T 1 S super (8 mm) — Film projector BAUER T 1 S super (8 mm) —
Projecteur cinématographique BAUER T 1 S super (8 mm)
Hersteller — Manufacturer — Fabricant: Robert Bosch Elektronik und Photokino GmbH.,
Berlin
Design — Création: Bernhard Jablonski

Filmbetrachter BAUER super 8 (F 1 super) — BAUER super 8 (F 1 super) film display device — Visionneuse BAUER super 8 (F 1 super)
Hersteller — Manufacturer — Fabricant: Robert Bosch Elektronik und Photokino GmbH., Berlin
Design — Création: Bernhard Jablonski

Agfa Movexoom. Vollautomatische Spiegelreflex-Camera mit Zoom-Objektiv Agfa Variogon 1,8/9 — 30 mm. — Agfa Movexoom. Fully automatic reflex camera with Agfa Variogon zoom lens f/1.8,9—30 mm. — Agfa Movexoom. Appareil photo reflex totalement automatique, objectif zoom Variogon 1,8/9—30 mm.
Hersteller — Manufacturer — Fabricant: Agfa-Gevaert AG., Camera-Werk, München
Design — Projet: Werkentwurf — Agfa-Gevaert design — Bureaux de l'usine

Fernsehgerät «Metz Mallorca», Vollautomatik — Fully automatic television set «Metz Mallorca» — Appareil de télévision «Metz Mallorca», modèle automatique
Hersteller — Manufacturer — Fabricant: Metz Apparatewerke, Fürth/Bayern
Design — Création: Herbert Oestreich

Sicherheits-Skibindung «Simplex» mit «Rotamat» — «Simplex» safety ski binding with «Rotamat» — Fixation de sécurité pour skis «Simplex» avec «Rotamat»
Hersteller — Manufacturer — Fabricant: Hannes Marker Sicherheits-Skibindungen GmbH., Garmisch-Partenkirchen
Design — Construction: Werkentwurf — Marker design — Bureaux de l'usine

Schlitten «Porsche Junior» für Winter- und Wassersport, 121 cm lang, 48 cm breit — Sledge «Porsche Junior» for winter and water sport, 121 cm long, 48 cm wide — Traîneau «Porsche Junior» pour sports d'hiver et sports nautiques, 121 cm de longueur, 48 cm de largeur
Material — Matériel: Glasfaserverstärkter Kunststoff mit Aluminium-Kufen — Synthetic material reinforced with fibre glass, aluminium runners — Matière plastique renforcée de fibres de verre avec patins d'aluminium
Hersteller — Manufacturer — Fabricant: Rallye Bitter, Düsseldorf
Design — Création: Ferdinand Porsche jun.

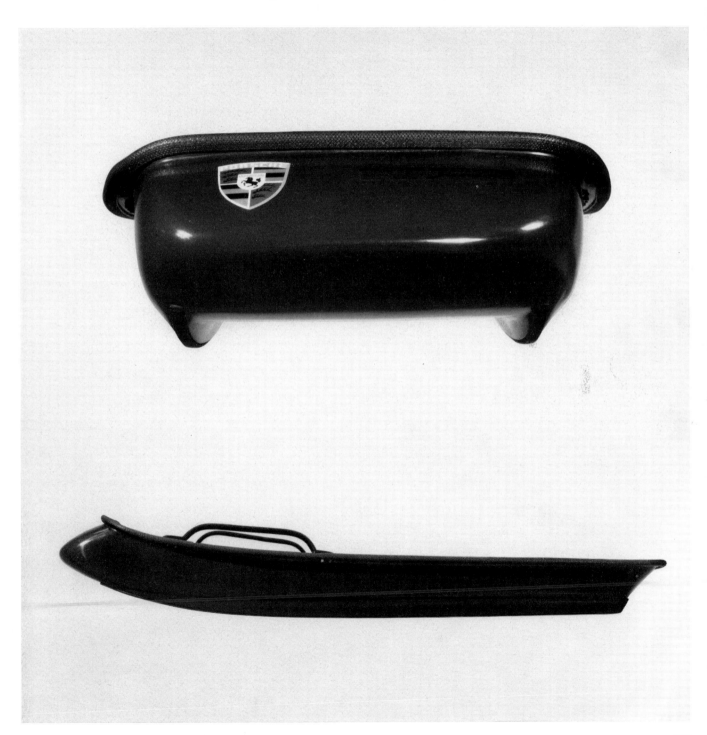

Faltboot «Aerius II» − Collapsible boat «Aerius II» − Canot pliant «Aerius II»
Hersteller − Manufacturer − Fabricant: Klepper-Werke, Rosenheim
Design − Projet: Werkentwurf − Klepper design − Bureaux de l'usine

Hochleistungssegelflugzeug der Standardklasse «Phöbus» — «Phoebus», standard class high-duty glider — Planeur de grande performance, classe «Phébus»
Material — Matériel: Glasfaserverstärkter Kunststoff — Synthetic material reinforced with fibreglass — Matière plastique renforcée de fibres de verre
Hersteller — Manufacturer — Fabricant: Bölkow-Apparatebau GmbH., Werk Laupheim
Design — Construction: Dipl.Ing. Hermann Nägele, Prof. Dr. Richard Eppler

Fernglas «Trinovid» (10 x 40, Dämmerungszahl 20) — «Trinovid» binocular (10 x 40, twilight
power 20) — Jumelles «Trinovid» (10 x 40, nombre de polarisation 20)
Hersteller — Manufacturer — Fabricant: Ernst Leitz GmbH., Wetzlar
Design — Projet: Werkentwurf — Leitz design — Bureaux de l'usine

Bürogeräte   Office equipment   Equipement de bureau

Büromöbelprogramm «Form 3900» — Office furniture series «Form 3900» — Série de
meubles de bureau «Form 3900»
Hersteller — Manufacturer — Fabricant: Pohlschröder & Co. KG., Dortmund
Design — Création: Atelier Willy Herold

UniData-Programm, universales Aufbewahrungssystem für alle Arten von Datenträgern —
Uni-Data-Programm, universal system for filing data of all kinds — Programme UniData,
système de classement universel pour toutes espèces de documents
Hersteller — Manufacturer — Fabricant: Alex Linder, Nürtingen
Design — Création: Prof. Tomás Maldonado, Rudolf Scharfenberg, Gui Bonsiepe

Schnelldrucker, Siemens-System 4004 — High-speed printer, Siemens system 4004 —
Imprimeuse rapide, système Siemens 4004
Hersteller — Manufacturer — Fabricant: Siemens & Halske AG., Berlin-München
Design — Projet: Siemens Abteilung Formgebung — Siemens Design Department — Section
de Design de la firme Siemens

Rechenmaschine – Calculating machine – Machine à calculer
Hersteller – Manufacturer – Fabricant: Diehl, Nürnberg
Design – Création: Dr.-Ing. Dieter Oestreich

Bürodiktiergerät «minifon office» — Office dictaphone «minifon office» — Dictaphone
«minifon office»
Hersteller — Manufacturer — Fabricant: Telefunken AG., Berlin
Design — Projet: Werkentwurf — Telefunken design — Bureaux d'études de l'usine

Tischfernsprecher mit Wählscheibe — Telephone with dial — Téléphone à disque
Hersteller — Manufacturer — Fabricant: Telefunken AG., Backnang
Design — Création: Günter Kupetz

Elektronischer Fakturierautomat Siemag EF — Electronic billing machine, model Siemag EF
— Factureuse automatique Siemag EF
Hersteller — Manufacturer — Fabricant: Siemag Feinmechanische Werke GmbH., Eiserfeld/Sieg
Design Projet: Werkentwurf — Siemag design — Bureau de construction de l'entreprise

Elektronischer Tischrechner RAE 4/15 — RAE 4/15 table-mounted electronic computer —
Calculatrice électronique de table RAE 4/15
Hersteller — Manufacturer — Fabricant: Olympia Werke AG., Wilhelmshaven
Design — Projet: Werkentwurf — Olympia design — Bureaux d'études de l'usine

ET-Fernsprecher, elektronischer Tastfernsprecher — Electronic touch telephone — Poste
téléphonique électronique à touches de contact
Hersteller — Manufacturer — Fabricant: Siemens & Halske AG., Berlin-München
Design — Projet: Siemens Abteilung Formgebung — Siemens Design Department — Section
de Design de la firme Siemens

Bedienungsfernsprecher für Nebenstellenanlagen ESK 400 E für 10 Amtsleitungen — Attendant telephone for type ESK 400 E PABX's with 10 trunk lines — Poste d'opératrice pour installations téléphoniques ESK 400 E à 10 lignes
Hersteller — Manufacturer — Fabricant: Siemens & Halske AG., Berlin-München
Design — Projet: Siemens Abteilung Formgebung — Siemens Design Department — Section de Design de la firme Siemens

Fernsprech-Vermittlungstisch (Großwählnebenstellenanlage) — Telephone switchboard (large-size PABX) — Standard téléphonique (central automatique privé à grande capacité
Hersteller — Manufacturer — Fabricant: Siemens & Halske AG., Berlin-München
Design — Projet: Siemens Abteilung Formgebung — Siemens Design Department — Section de Design de la firme Siemens

Elektronischer Universal-Rechenautomat mit Zehnertastatur und Kontrollstreifen — Universal electronic computer with decimal keyboard and monitor tape — Calculatrice électronique universelle avec clavier décimal et bande de contrôle
Hersteller — Manufacturer — Fabricant: Wanderer-Werke AG., Köln
Design — Création: Willy Herold

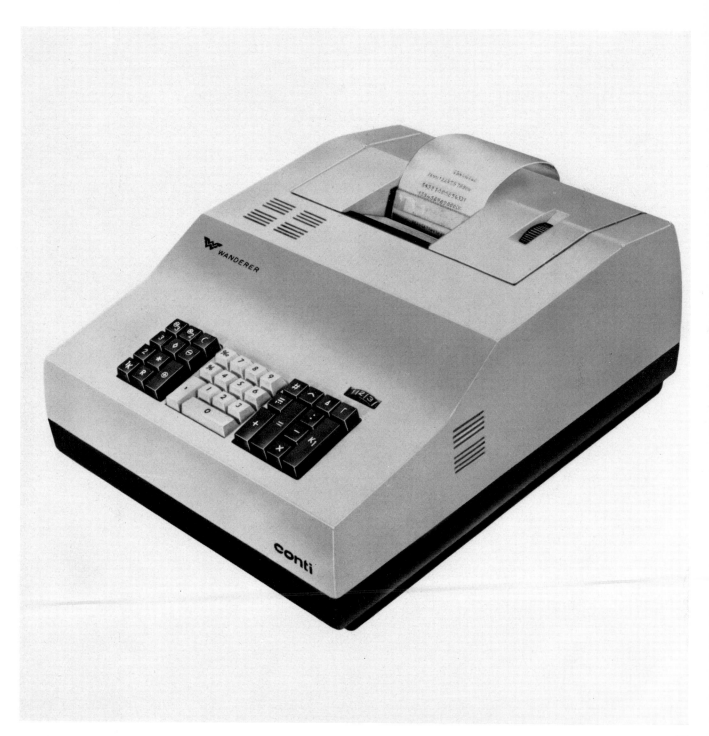

Büroablagekästen, Papierkorb — Office filing trays, waste-paper basket — Casiers à courrier, corbeille à papier
Material — Matériel: Kunststoff — Plastic — Matière plastique
Hersteller — Manufacturer — Fabricant: Theodor Zoepel, Düsseldorf
Design — Création: form GmbH., Düsseldorf

Wissenschaftliche Geräte und Instrumente, feinmechanische Werkzeuge
Scientific apparatus and instruments, precision tools
Ustensiles et instruments scientifiques, outils mécaniques de précision

Zahnärztliche Handinstrumente: Zahnzange für obere Wurzeln, Kinderzahnzange für untere Wurzeln, Zahnfleischschere, Excavator, Nadelhalter — Manual dental instruments: extractors for upper roots, forceps for children for lower roots, gum scissors, excavator, needle holders — Instruments dentaires à main: daviers pour racines supérieures, daviers pour enfant pour racines inférieures, ciseaux à gencives, excavateur, porte-aiguilles
Hersteller — Manufacturer — Fabricant: Carl Martin, Solingen-Höhscheid
Design — Projet: Werkentwurf — Martin design — Bureaux de l'usine

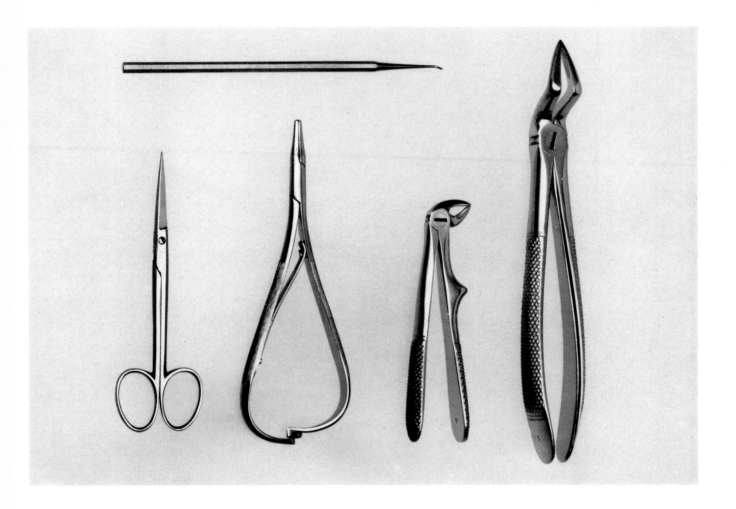

Chirurgische Handinstrumente: Zängchen gerieft, mittel mit Bleistiftgriff, Mikrozängchen mit Doppellöffel — Manual surgical instruments: pliers, fluted, medium-size with pencil handle; micro-pliers with double spoon — Instruments chirurgicaux: pincettes cannelées, à pince-crayon central, micro-pincettes à double cuillère
Hersteller — Manufacturer — Fabricant: Chiron-Werke GmbH., Tuttlingen
Design — Projet: Werkentwurf — Chiron design — Bureaux de l'usine

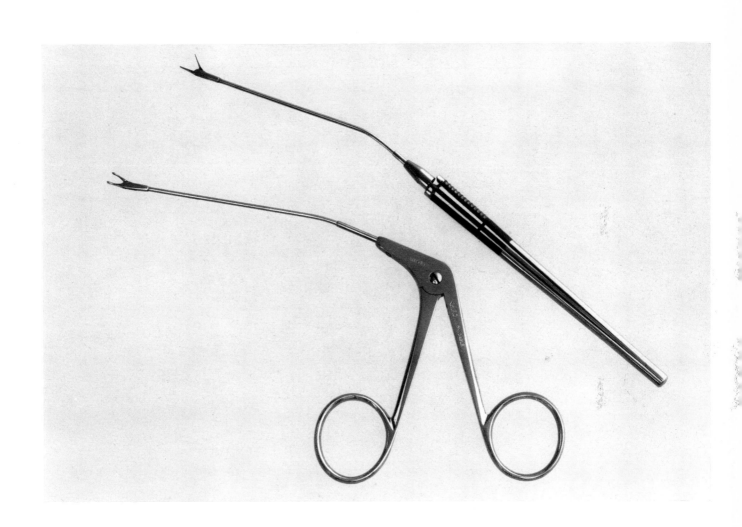

Platin-Laboratoriumsgeräte — Platinum laboratory apparatus — Instruments de laboratoire
en platine
Hersteller — Manufacturer — Fabricant: W. C. Heraeus GmbH., Hanau
Design — Projet: Werkentwurf — Heraeus design — Bureaux de l'usine

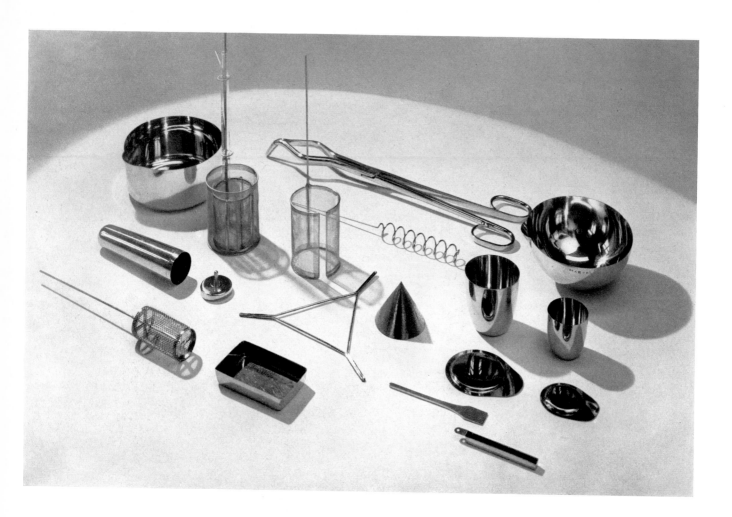

Skiaskop — Retinoscope — Skiascope
Hersteller — Manufacturer — Fabricant: Optische Werke G. Rodenstock, München
Design — Création: Willy Herold

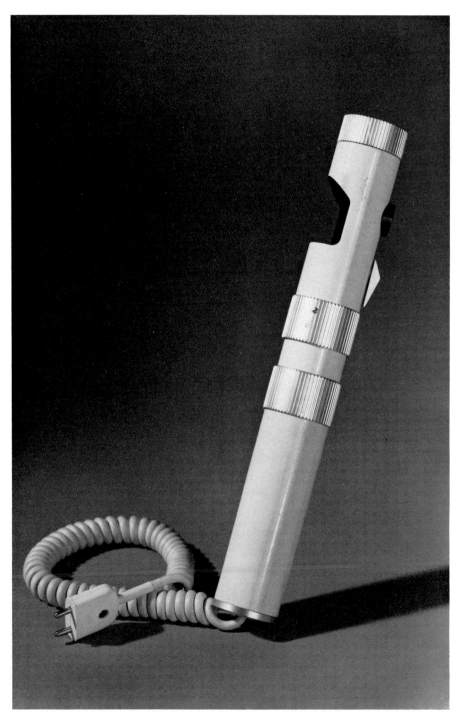

Schnellverstellzirkel 274 – Quickset 274 – Compas à réglage rapide 274
Hersteller – Manufacturer – Fabricant: Gebr. Haff GmbH., Pfronten/Allgäu
Design – Projet: Werkentwurf – Haff design – Bureaux de l'usine

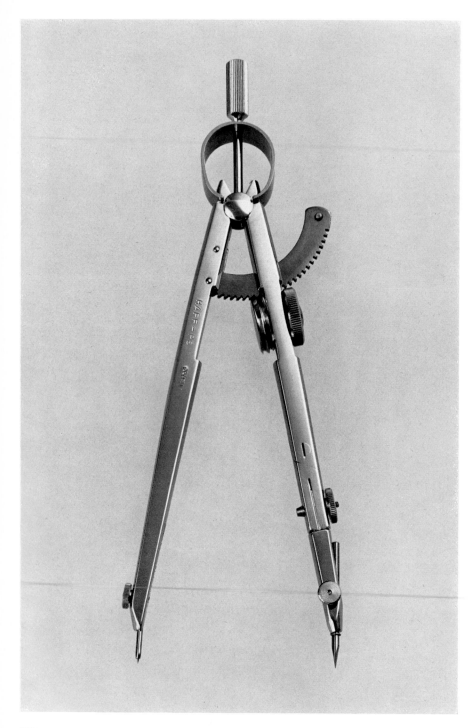

Castell Novo-Duplex Nr. 2/83, Doppelrechenstab aus Geroplast; durch Wurzelskalen bei
25 cm Länge erhöhte Genauigkeit der Halbmeter-Teilungslänge — Castell Novo-Duplex
No. 2/83, double slide rule of Geroplast plastics material — Castell Novo-Duplex No. 2/83,
règle à calculer en Geroplast
Hersteller — Manufacturer — Fabricant: A. W. Faber-Castell, Stein bei Nürnberg
Design — Projet: Werkentwurf — Faber-Castell design — Bureaux d'études de l'usine

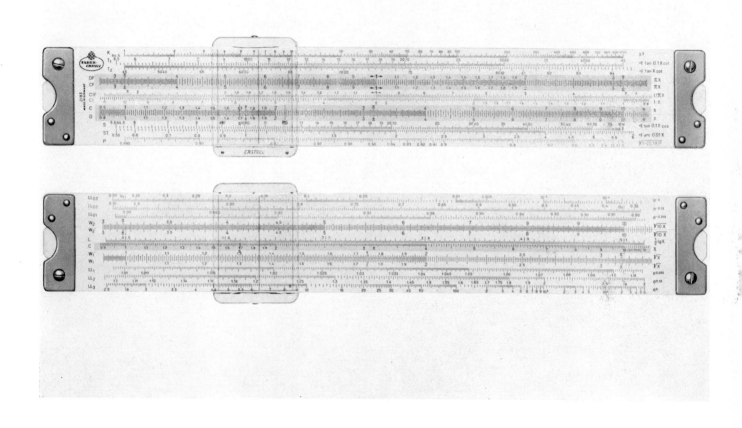

Dialux-Pol-Mikroskop mit synchroner Drehvorrichtung von Polarisator und Analysator sowie Universal-Drehtisch — Dialux polarising microscope with drive for synchronous angular movement of polariser and analyser and universal rotary stage — Microscope polarisant Dialux avec rotation synchronisée du polarisateur et de l'analysateur, et table pivotante universelle
Hersteller — Manufacturer — Fabricant: Ernst Leitz GmbH., Wetzlar
Design — Projet: Werkentwurf — Leitz design — Bureaux d'études de l'usine

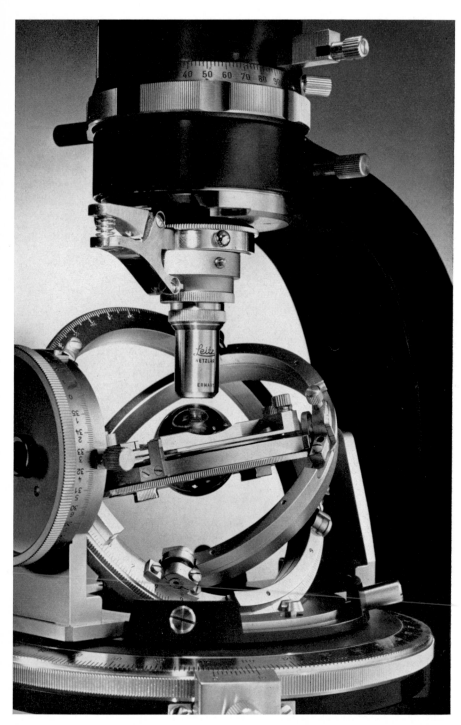

Großes Polarisationsmikroskop «Ortholux-Pol» — «Ortholux-Pol» large-size polarizing microscope — Grand microscope polarisant «Ortholux-Pol»
Hersteller — Manufacturer — Fabricant: Ernst Leitz GmbH., Wetzlar
Design — Projet: Werkentwurf — Leitz design — Bureaux d'études de l'usine

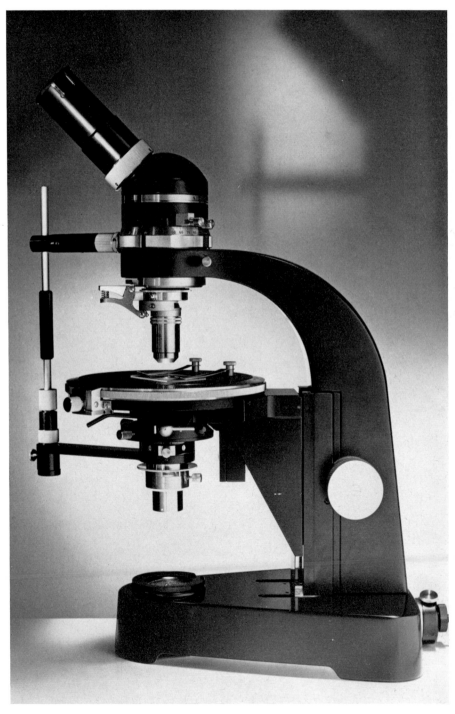

Einbau-Meßinstrument Form Rk mit grauem Frontrahmen — Style Rk built-in measuring
instrument with grey frame — Instrument de mesure Rk à encastrer avec encadrement gris
Hersteller — Manufacturer — Fabricant: Josef Neuberger, München
Design — Création: Prof. Tomás Maldonado

Analysen-Schnellwaage 2400 — Analytical balance 2400 — Balance analytique rapide 2400
Hersteller — Manufacturer — Fabricant: Sartorius-Werke AG., Göttingen
Design — Projet: Werkentwurf — Sartorius design — Bureaux d'études de l'usine

Tragbares elektrodynamisches Auswuchtgerät und Frequenzspektrometer mit Kathoden-strahl-Oszillograph zur elektrischen Analyse mechanischer Schwingungen — Portable electro-dynamic balancing equipment and frequency-analyser with cathode-ray-oscilloscope for the electrical analysis of mechanical vibrations — Appareil d'équilibrage électrodyna-mique et analyseur de fréquence complété d'un oscilloscope pour l'analyse électrique de vibrations mécaniques
Hersteller — Manufacturer — Fabricant: Dr. Reutlinger & Söhne, Darmstadt
Design — Création: Dipl.Ing. C. W. Voltz

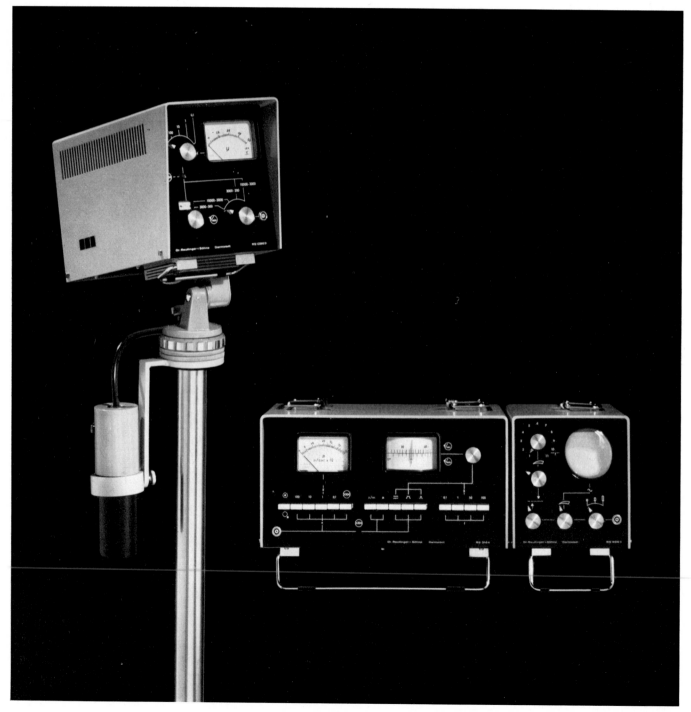

Ertel-Nivellier INA 65 mit Selbsteinwägen der Ziellinie — Ertel level 65 with automatic adjustment of the line of sight — Niveau Ertel INA 65 à calage automatique
Hersteller — Manufacturer — Fabricant: Ertel-Werk, München
Design — Projet: Werkentwurf — Ertel design — Bureaux d'études de l'usine

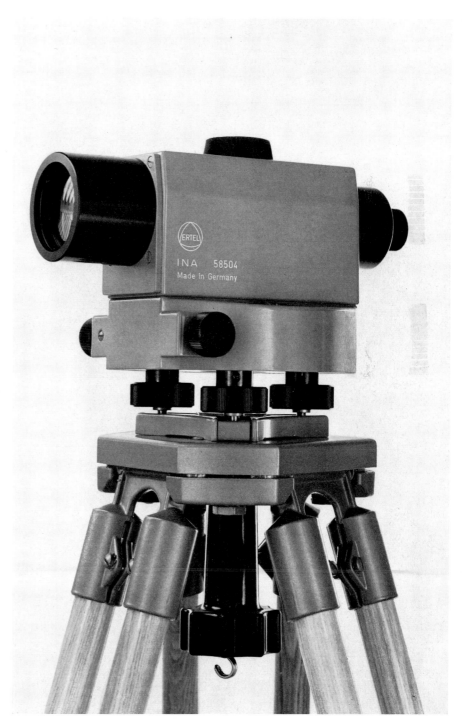

Elektronisches Substraktionsgerät für Röntgenaufnahmen — Electronic subtractive unit for radiographies — Appareil de soustraction électronique pour radiographies
Hersteller — Manufacturer — Fabricant: Siemens-Reiniger-Werke AG., Erlangen
Design — Création: Alexander von Sydow

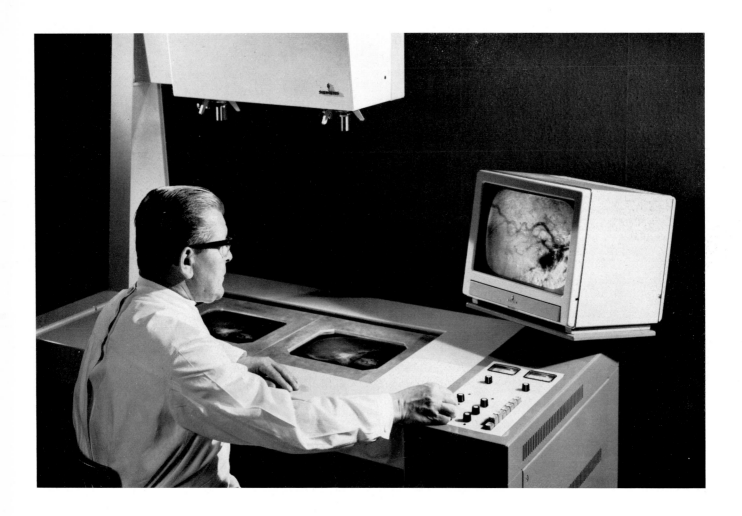

Mikrowellen «Erbotherm» — Mikrowaves «Erbotherm» — Appareils d'ondes micro pour rayonnement «Erbotherm»
Hersteller — Manufacturer — Fabricant: Erbe Elektromedizin, Tübingen
Design — Création: Prof. T. Maldonado, G. Bonsiepe, R. Scharfenberg

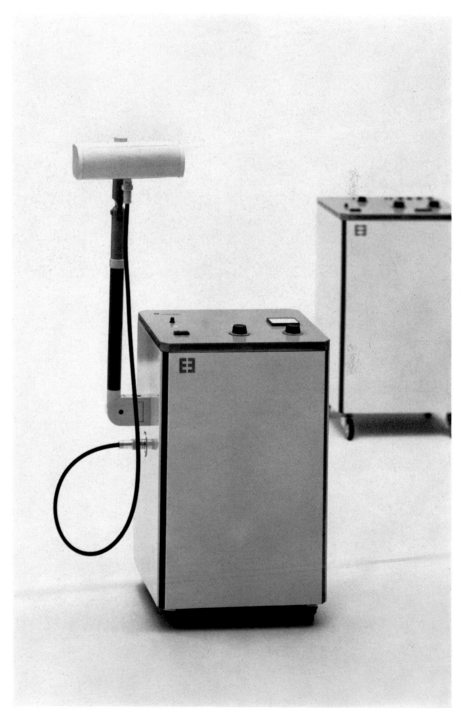

Extinktionsschreiber mit Integralschreiber – Absorbance recorder with integrating recorder
– Enregistreur d'extinction avec enregistreur intégral
Hersteller – Manufacturer – Fabricant: Carl Zeiss, Oberkochen/Württemberg
Design – Projet: Werkentwurf – Zeiss design – Bureaux d'études de l'usine

Scheitelbrechwertmeßprojektor — Vertex measuring-projector — Fronto-focomètre à projection
Hersteller — Manufacturer — Fabricant: Optische Werke G. Rodenstock, München
Design — Création: Willy Herold

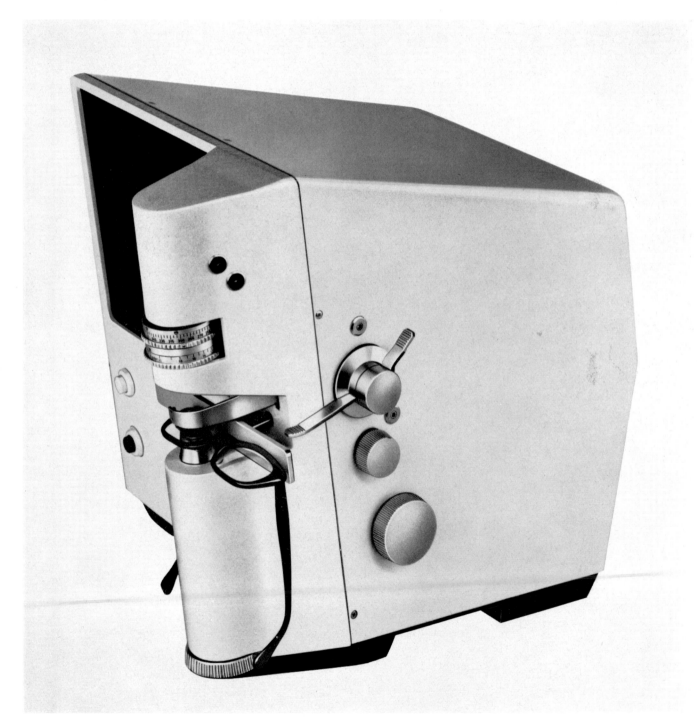

Operationsleuchte «Boston» — «Boston» operating lamp — Eclairage pour table d'opé-
rations «Boston»
Hersteller — Manufacturer — Fabricant: Quarzlampen Gesellschaft mbH., Hanau
Design — Projet: Werkentwurf — Quarzlampen Gesellschaft design — Bureaux d'études
de l'usine

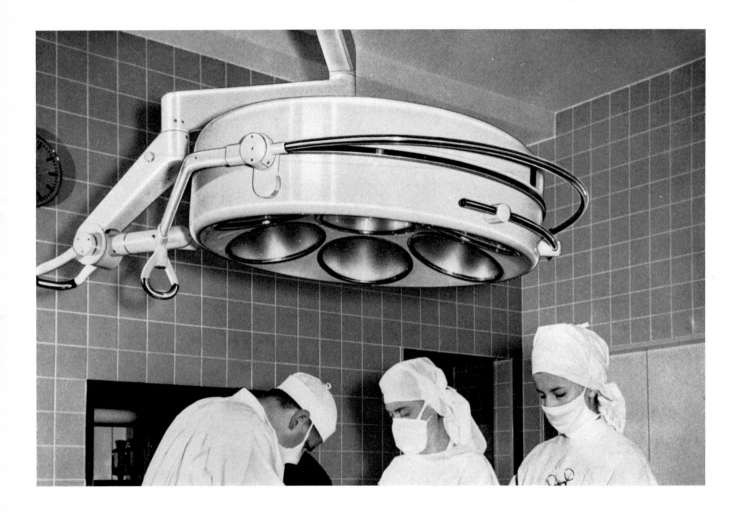

Meßtisch im Baukastensystem — Measuring table made from prefabricated parts — Table de mesure à éléments préfabriqués
Hersteller — Manufacturer — Fabricant: Hartmann & Braun AG., Frankfurt/Main
Design — Création: Dr.-Ing. Dieter Oestreich

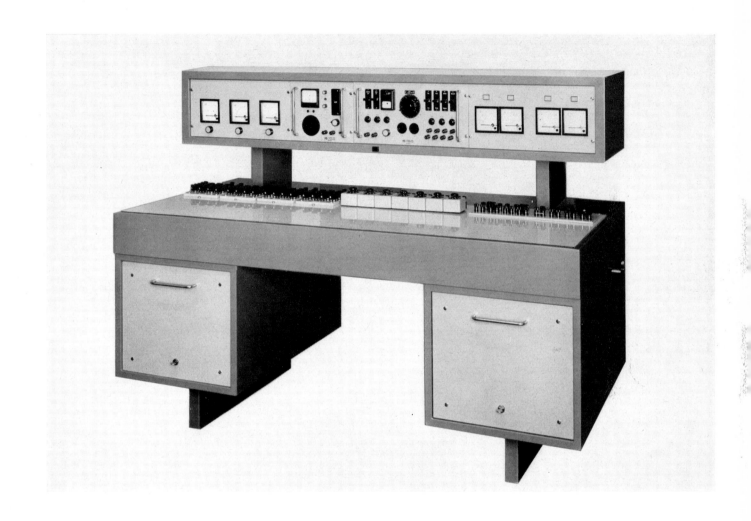

Rechenstab ARISTO-Studio 0968, Rechenscheibe ARISTO-Aviat 615, ARISTO-Fächermaß-
stab 1323, ARISTO-Maßstab 1304 — Slide rule ARISTO Studio 0968, circular computer
ARISTO Aviat 615, ARISTO scale set 1323, ARISTO scale 1304 — Règle à calcul ARISTO
Studio 0968, computeur circulaire ARISTO Aviat 615, règle graduée ARISTO 1323 en even-
tail, règle graduée ARISTO 1304
Hersteller — Manufacturer — Fabricant: Dennert & Pape, ARISTO-Werke KG., Hamburg
Design — Projet: Werkentwurf — ARISTO Design Department — Bureaux d'études de l'usine

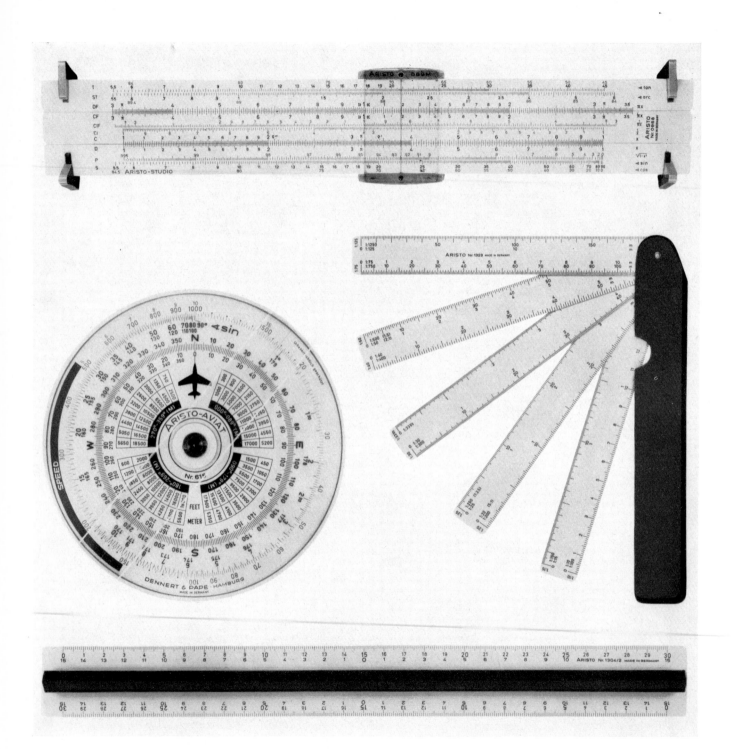

Fahrzeuge   Vehicles   Véhicules

Massengutfrachter «Linde», Spezialtransporter für Automobile, Tragfähigkeit 19.050 tdw. —
Bulk Carrier «Linde», special automobile transporter, deadweight capacity 19.050 tons. —
Transporteur pour automobiles «Linde», capacité 19.050 tonnes
Hersteller — Manufacturer — Fabricant: Deutsche Werft AG., Hamburg
Design — Construction: Werkentwurf — Deutsche Werft design — Bureaux d'études de
l'usine

Motor-Kühlschiff M.S. «Polarlicht» (4850 BRT) der Hamburg-Südamerikanischen Dampf-
schiffahrts-Ges. — M.S. «Polarlicht» motor ship for low-temperature storage, 4850 gr.r.t. —
Bateau frigorifique M.S. «Polarlicht» (4850 T.) de la Hamburg-Südamerikanische Dampf-
schiffahrts-Ges.
Hersteller — Manufacturer — Fabricant: Blohm & Voss AG., Hamburg
Design — Projet: Werkentwurf — Blohm & Voss design — Bureaux d'études de l'usine

Turbinen Tanker «Texaco Venezuela», Tragfähigkeit 61.000 tdw. — Turbine Tanker «Texaco Venezuela», deadweight capacity 61.000 tons — Pétrolier à turbines «Texaco Venezuela», tonnage 61.000 to.
Hersteller — Manufacturer — Fabricant: Howaldtswerke AG., Kiel
Design — Construction: Werkentwurf — Howaldtswerke design — Bureaux d'études de l'usine

Schwimmkran «Magnus» (max. Tragkraft 400 to) — Floating crane «Magnus» (max. lifting capacity 400 tons) — Grue flottante «Magnus» (puissance de levage max. 400 to)
Hersteller — Manufacturer — Fabricant: Howaldtswerke AG., Kiel
Design — Construction: Werkentwurf — Howaldtswerke design — Bureaux d'études de l'usine

Düsen-Geschäfts- und Reiseflugzeug HFB 320 Hansa — Jet plane HFB 320 Hansa, for business and travel — Avion à réaction pour voyages d'affaires et de tourisme HFB 320 Hansa
Hersteller — Manufacturer — Fabricant: Hamburger Flugzeugbau GmbH., Hamburg-Finkenwerder
Design — Projet: Werkentwurf — Manufacturer's design — Bureaux d'études de l'usine

Kurzstart-Mehrzweckflugzeug Dornier Do 27: 6—8 sitziger Hochdecker mit einem 270 HP
Lycoming-Motor — STOL — Multipurpose Aircraft D 27: for six to eight persons, high-wing
monoplane, 270 HP Lycoming engine — Avion Dornier Do 27 à multiples emplois et décol-
lage sur brève distance, monoplan à 6—8 places, moteur Lycoming de 270 CV
Hersteller — Manufacturer — Fabricant: Dornier-Werke GmbH., München-Neuaubing
Design — Projet: Werkentwurf — Dornier design — Bureaux d'études de l'usine

Diesellok. V 320 – Diesel Locomotive V 320 – Locomotive Diesel V 320
Hersteller – Manufacturer – Fabricant: Rheinstahl-Henschel AG., Kassel
Design – Projet: MAN-Architekturabteilung – MAN Architectural Department – Départe-
ment d'Architecture de la MAN. Dir.: Dr. Klaus Flesche

Tiefkühltankwagen für flüssige Chemikalien — Low-temperature tank wagon for liquid chemicals (rail-borne) — Wagon congélateur pour produits chimiques liquides
Hersteller — Manufacturer — Fabricant: Vereinigte Tanklager- und Transportmittel GmbH., Hamburg
Design — Projet: Werkentwurf — Manufacturer's design — Bureaux d'études de l'usine

Dieseltriebwagenzug der DB, VT 23 – Diesel motor-coach train, Deutsche Bundesbahn, VT 23 – Automotrice Diesel de la DB, VT 23
Hersteller – Manufacturer – Fabricant: MAN Maschinenfabrik Augsburg-Nürnberg AG., Werk Nürnberg
Design – Projet: MAN-Architekturabteilung – MAN Architectural Department – Département d'Architecture de la MAN. Dir.: Dr. Klaus Flesche

Doppeltriebwagen der Hamburger U-Bahn — Double-motor train, Hamburg underground railway — Motrice double du métro de Hambourg
Hersteller — Manufacturer — Fabricant: Linke, Hofmann, Busch, Waggon-Fahrzeug-Maschinen-GmbH., Salzgitter
Design — Projet: Hans Gugelot, Herbert Lindinger, Helmut Müller-Kühn, Otl Aicher, Peter Cray

Sportwagen mit Klappverdeck 230 SL (Roadster) — Roadster with folding hood, 230 SL —
Voiture de sport décapotable, 230 SL (Roadster)
Hersteller — Manufacturer — Fabricant: Daimler-Benz AG., Stuttgart
Design — Projet: Werkentwurf — Daimler-Benz design — Bureaux d'études de l'usine

Porsche Typ 911, 6-Zylinder Luxusmodell — Porsche Type 911, 6-cylinder luxury model —
Porsche 911, 6 cylindres, modèle de luxe
Hersteller — Manufacturer — Fabricant: Dr.Ing. h. c. F. Porsche KG., Stuttgart-Zuffenhausen
Design — Projet: Werkentwurf — Porsche Design Department — Bureaux d'études de l'usine

Büssing-Decklastkraftwagen, Nutzlast 14.700 kg — Büssing deck lorry, payload 14.700 kilo-
gramms — Camion Büssing, CV 14.700 kg
Hersteller — Manufacturer — Fabricant: Büssing-Automobilwerke AG., Braunschweig
Design — Projet: Form Technik International, Baden-Baden

Mercedes-Benz-Unimog, 65 PS — Mercedes-Benz-Unimog, 65 HP — Mercedes-Benz-Unimog, 65 CV
Hersteller — Manufacturer — Fabricant: Daimler-Benz AG., Stuttgart
Design — Projet: Werkentwurf — Daimler-Benz design — Bureaux d'études de l'usine

Autokran AUK 80. Geeignet für den Transport schwerer Lasten. Als Auto-Turmdrehkran besonders für die Fertigbauweise verwendbar — Auto crane AUK 80, for the transport of heavy loads. As auto rotating tower crane particularly suited for use in prefabricated construction — Grue auto AUK 80 pour le transport de lourdes charges. Emploi pratique comme grue pivotante pour constructions préfabriquées
Hersteller — Manufacturer — Fabricant: Hans Liebherr, Biberach/Riß
Design — Projet: Werkentwurf — Liebherr design — Bureaux de l'usine

Faun-Muldenkipper Typ K 10/28 P — Faun Type K 10/28 P dump wagon — Benne basculante Faun Type K 10/28 P
Hersteller — Manufacturer — Fabricant: Faun-Werke Nürnberg, Lauf
Design — Projet: Werkentwurf — Faun design — Bureaux d'études de l'usine

Lader Europ L 2000 von 172 DIN PS — Europ L 2000 loader, 172 DIN PS — Chargeur Europ
L 2000 de 172 PS DIN
Hersteller — Manufacturer — Fabricant: Hubert Zettelmeyer, Maschinenfabrik, Konz bei Trier
Design — Projet: Igl-Industrieformgebung, Rosenheim

Mobilkran 12 G — Mobile crane 12 G — Grue mobile 12 G
Hersteller — Manufacturer — Fabricant: Krupp-Ardelt, Wilhelmshaven
Design — Projet: Friedrich Krupp Zentralinst. für Forschung und Entwicklung, Essen

Schopf-Schaufellader L 50 — Schopf L 50 shovel loader — Pelle-chargeuse Schopf L 50
Hersteller — Manufacturer — Fabricant: Schopf Gesellschaft mbH., Stuttgart-Sillenbusch
Design — Projet: Werkentwurf — Schopf design — Bureaux d'études de l'usine

HATRA-Vollhydraulik Raupenbagger 80 PS — HATRA fully hydraulic crawler shovel, 80 H.P. — Excavateur à chenilles HATRA, dispositifs hydrauliques, 80 CV
Hersteller — Manufacturer — Fabricant: Alfred Hagelstein, Lübeck-Travemünde
Design — Projet: Werkentwurf — Hagelstein design — Bureaux d'études de l'usine

Frisch-Grader F 185 mit 165 PS Motorleistung bietet mit max. 8,4 to Schubkraft alle
Einsatzmöglichkeiten — Frisch Grader F 185, engine performance 165 h.p., 8,4 tn. max.
thrust, offers multiple application — Niveleuse Frisch F 185, puissance du moteur 165 ch.
DIN, poussée 8,4 to. max., à multiple application
Hersteller — Manufacturer — Fabricant: Eisenwerk Gebr. Frisch KG., Augsburg
Design — Projet: Form Technik International, Baden-Baden

Schwerlast-Dieselstapler Dg 18 — Dg 18 Diesel stacker for heavy loads — Gerbeur Diesel
à grande puissance
Hersteller — Manufacturer — Fabricant: Maschinenfabrik Eßlingen, Eßlingen/Neckar
Design — Projet: Horst Hartmann

Schiebemaststapler «Retrak», Tragfähigkeit 800, 1000 und 1250 kg — «Retrak» telescopic pole stacker; carrying capacity 800, 1000 and 1250 kg — Gerbeur «Retrak» à mât coulissant, capacité de charge: 800, 1000 et 1250 kg
Hersteller — Manufacturer — Fabricant: H. Jungheinrich & Co., Hamburg
Design — Projet: Rolf Baum

Maschinen, Großgeräte und -anlagen
Machinery, heavy equipment and installations
Machines, appareillages et installations d'ensemble

Sechsspindel-Abricht-Füge-Kehlmaschine, Typ «Heilbronn» — Type« Heilbronn», six-spindle
smoothing, jointing and moulding machine — Machine à dégauchir, jointoyer et canneler,
modèle «Heilbronn»
Hersteller — Manufacturer — Fabricant: Hermann Haller, Nordheim/Württemberg
Design — Projet: Werkentwurf — Haller design — Bureaux d'études de l'usine

VDF-Einheitsdrehbank, Modell M 670 — VDF modell M 670 unit lathe — Tour standard VDF, modèle M 670
Hersteller — Manufacturer — Fabricant: Gebr. Boehringer GmbH., Göppingen
Design — Projet: Horst Hartmann

Radialbohrmaschine Modell GRV, Bohrleistung in Stahl 40–63 mm ⌀, Ausladung 1000–2500 mm – Model GRV radial drilling and boring machine, boring capacity in steel 40–63 mm diameter, sweep 1000–2500 mm – Perceuse radiale, modèle GRV. Capacité de perçage dans l'acier de 40 à 63 mm ⌀. Portée de 1000 à 2500 mm
Hersteller – Manufacturer – Fabricant: Girards Werkzeugmaschinen GmbH., Hagen/Westfalen
Design – Création: Hans Gugelot

Gelenkspindelbohrmaschine B 230 G — B 230 G, drilling machine with articulated spindles
— Perceuse à broches articulées B 230 G
Hersteller — Manufacturer — Fabricant: Burkhardt & Weber KG., Reutlingen
Design — Projet: Horst Hartmann

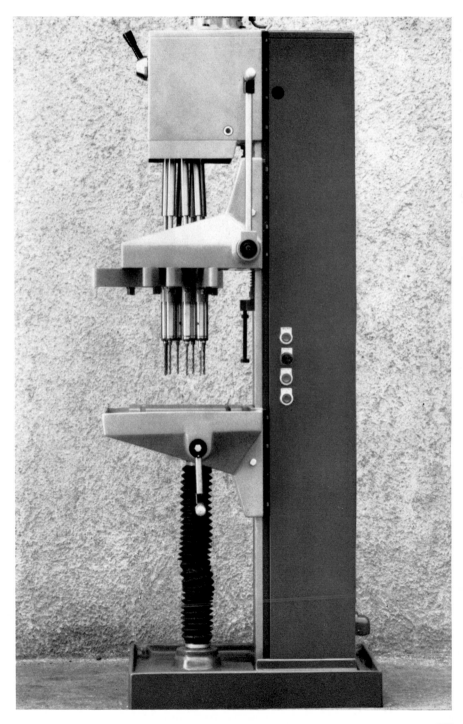

Präzisions-Zugspindel-Drehbank DLZ 140 — DLZ 140, high-precision SS and SC lathe —
Tour avec vis-mère chariotage de précision DLZ 140
Hersteller — Manufacturer — Fabricant: Boley & Leinen, Eßlingen
Design — Projet: Erich Slany

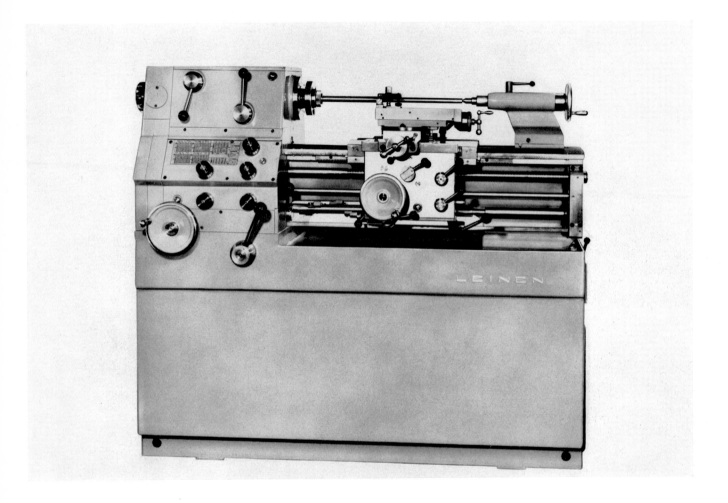

Universal-Werkzeugfräsmaschine SHW-UF 1 — Universal milling-drilling and boring machine SHW-UF 1 — Fraiseuse-outil universelle SHW-UF 1
Hersteller — Manufacturer — Fabricant: SHW Schwäbische Hüttenwerke GmbH., Wasseralfingen/Württemberg
Design — Construction: Werkentwurf — SHW design — Bureaux de l'usine

Helio-Klischograph für die Gravur von Tiefdruckzylindern — Helio-Klischograph, engraving
machine for gravure cylinders — Hélio-clichographe pour la gravure de cylindres
Hersteller — Manufacturer — Fabricant: Dr.-Ing. Rudolf Hell, Kiel
Design — Projet: Werkentwurf — Hell design — Bureaux d'études de l'usine

Hochleistungs-Wälzfräsmaschine P 900 — eine universale Verzahnmaschine für Stirn- und Schneckenräder — P 900 high-duty hobbing machine, a universal gear cutting machine for spur gears and worm wheels — Machine à tailler par fraise-mère à grand rendement P 900; une machine universelle pour le taillage des engrenages à dentures et roues à vis sans fin

Hersteller — Manufacturer — Fabricant: Walzfräsmaschinenfabrik H. Pfauter, Ludwigsburg

Design — Projet: Ursprünglicher Entwurf Prof. Walter M. Kersting; vom Konstruktionsbüro der Firma überarbeitet — Original design Prof. Walter M. Kersting, developed by the construction department of the firm — Conception première du Prof. Walter M. Kersting, revue par le bureau d'études de la firme

Bosch-Elektrowerkzeuge: Zweigang-Schlagbohrmaschine, Winkelschleifer — Bosch-Electric tools: Two speed impact drill, sander-polisher — Outils électriques Bosch: Perceuse à percussion deux vitesses, meuleuse
Hersteller — Manufacturer — Fabricant: Robert Bosch GmbH., Elektrowerkzeugbau, Leinfelden/Württemberg
Design — Création: Erich Slany und Entwicklungsabteilung Robert Bosch — Erich Slany and the Bosch Development Department — Erich Slany et bureaux d'études de l'usine

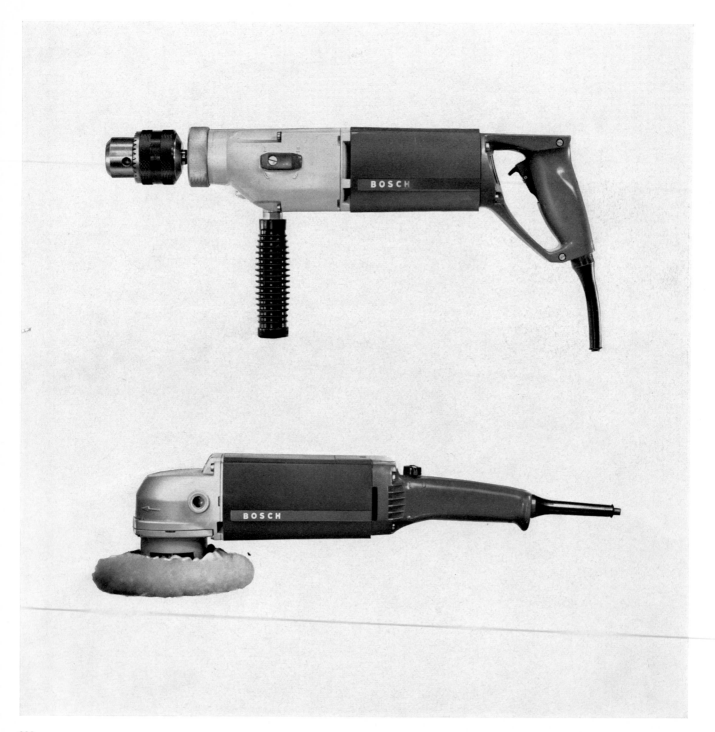

Hochleistungsscheinwerfer AL 41 — High-intensity, floodlight AL 41 — Projecteur de haute puissance AL 41
Hersteller — Manufacturer — Fabricant: Siemens-Schuckert-Werke AG., Berlin — Erlangen
Design — Création: Norbert Schlagheck

Elektromotoren, Stand der Hannoveraner Messe 1964 — Electro motors, AEG Stand at the
Hanover Fair, 1964 — Moteurs électriques, Stand AEG de la Foire de Hanovre (1964)
Hersteller — Manufacturer — Fabricant: AEG Allgemeine Elektricitäts-Ges., Frankfurt/Main
Design — Projet: Werkentwurf — AEG Design Department — Bureaux d'études de l'usine

AEG Turbosatz des Kraftwerkes Altbach II — AEG turbine set of Altbach II power plant —
Turbines AEG de la Centrale Altbach II
Hersteller — Manufacturer — Fabricant: AEG Allgemeine Elektricitäts-Ges., Frankfurt/Main
Design — Projet: Dipl.Ing. Peter Sieber

Hochleistungsschalter — High-capacity circuit breaker — Disjoncteur à haute puissance
Hersteller — Manufacturer — Fabricant: Siemens-Schuckert-Werke AG., Berlin — Erlangen
Design — Projet: Siemens Abteilung Formgebung — Siemens Design Department — Section
de Design de la firme Siemens

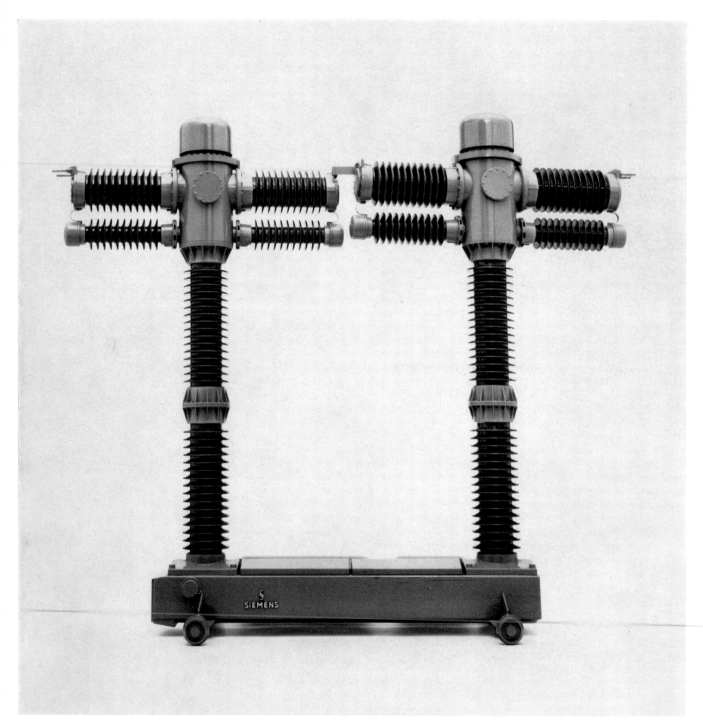

FS-Schmetterlingsantenne für Band III (174—223 MHz), Type HA 44/460 — Type HA 44/460
butterfly television antenna for band III (174—223 Mc/s) — Antenne TV papillon pour
bande III (174—223 MHz), type HA 44/460
Hersteller — Manufacturer — Fabricant: Rohde & Schwarz, München
Design — Construction: Werkentwurf — Rohde & Schwarz design — Bureaux de l'usine

Vollautomatische Briefverteileranlage – Automatic letter-sorting system – Installation automatique de tri de lettres
Hersteller – Manufacturer – Fabricant: Siemens & Halske AG., Berlin-München
Design – Projet: Siemens Abteilung Formgebung – Siemens Design Department – Section
de Design de la firme Siemens

Schaltwarte mit Relais-Anwahlsteuerung, Umspannwerk Kusenhorst — Control room with relay-type common diagram control, Kusenhorst substation — Poste de commande et de contrôle avec commande à sélection de relais, sous-station de transformation de Kusenhorst
Hersteller — Manufacturer — Fabricant: Siemens-Schuckert-Werke AG., Berlin — Erlangen
Design — Projet: Siemens Abteilung Formgebung — Siemens Design Department — Section de Design de la firme Siemens

Autobahnbrücke über die Nordelbe in Hamburg — Autobahn bridge over the north Elbe
in Hamburg — Pont routier sur l'Elbe (bras Nord) à Hambourg
Hersteller — Manufacturer — Fabricant: Rheinstahl Union Brückenbau AG., Dortmund
Design — Construction: Prof. Dipl.Ing. Schmalfeld etc., Harro Freese, Egon Jux

MERO-Raumfachwerk für zwei Hörsäle der TH Stuttgart, Gesamtfläche 2100 qm — MERO space frame structure for two lecture rooms of Stuttgart University of Technology; total area 2100 square metres — Système porteur MERO pour deux amphithéâtres de l'Ecole Supérieure technique de Stuttgart, suface totale 2100 m²
Hersteller — Manufacturer — Fabricant: MERO — Dr.Ing. M. Mengeringhausen, Würzburg
Design — Projet: Werkentwurf — MERO design — Bureaux d'études de l'usine

Hafenkrane/Hamburg — Harbour Crane / Hamburg — Grues portuaires / Hamburg
Hersteller — Manufacturer — Fabricant: Maschinenfabrik Augsburg-Nürnberg AG.
Design — Projet: MAN-Architekturabteilung — MAN Architectural Department — Départe-
ment d'Architecture de la MAN. Dir.: Dr. Klaus Flesche

Öl-Raffinerie der DEA-Scholven GmbH., Karlsruhe — Oil refinery of the DEA-Scholven GmbH., Karlsruhe — Raffinerie de pétrole de la DEA-Scholven SARL, Karlsruhe
Architekt — Architect — Architecte: Prof. Dr. Egon Eiermann

Funkstation (Satellitenstation) Raisting/Oberbayern — Radio transmission station (satellite station) Raisting — Station radiophonique spatiale Raisting/Haute-Bavière
Hersteller — Manufacturer — Fabricant: MAN, Siemens & Halske AG., Telefunken, Siemens-Bauunion GmbH., SEL, IBM

Versuchsbau in Stuttgart-Vaihingen zur Erprobung der Konstruktion für den deutschen Pavillon der Weltausstellung 1967 in Montreal — Trial building erected in Stuttgart-Vaihingen to test the construction for the German Pavillon designed for the World Fair in Montreal, 1967 — Essai fait, à Stuttgart-Vaihingen, de la construction du pavillon allemand pour l'Exposition Internationale de 1967 à Montréal
Entwicklung — Development — Projet: Institut für leichte Flächentragwerke, TH, Stuttgart
Architekten — Architects — Architectes: Prof. Rolf Gutbrod, Prof. Dr. Frei Otto
Hersteller des Netzes und der Haut — Manufacturer of the net and skin — Construction du réseau et de l'enveloppe: Fa. Stromeyer, Konstanz

Verzeichnis der Entwerfer
Index of Designers
Répertoire des stylistes

Otl Aicher, Hochschule für Gestaltung, 79 Ulm/Donau

Rolf Baum, 78 Freiburg/Breisgau-Wildtal, Heuweilerstraße 98

Carl-Heinz Bergmiller, Rua Xavier de Toledo 161, 14 Andar Conjunto 1401, Sao Paulo, Brasilien

Max Bill, Albulastraße 39, CH 8048 Zürich, Schweiz

Gui Bonsiepe, Hochschule für Gestaltung, 79 Ulm/Donau

Prof. Dr. Wilhelm Braun-Feldweg, 1 Berlin-Charlottenburg 2, Hardenbergstraße 33

Manfred Burggraf, 798 Ravensburg, Mühlstraße 3

Rido Busse, Industrieform, Markt und Technik, 791 Neu-Ulm

Peter Cray, Hochschule für Gestaltung, 79 Ulm/Donau

Prof. Karl Dittert, 707 Schwäbisch Gmünd, Eichenweg 32

Prof. Dr. h. c. Egon Eiermann, 75 Karlsruhe, Riefstahlstraße 10

Heinz H. Engler, 795 Biberach, Bodelschwinghstraße 8

Prof. Dr. Richard Eppler, c/o. Bölkow GmbH., 8012 Ottobrunn b. München

Dr.-Ing. Klaus Flesche, c/o. MAN, 6095 Gustavsburg

Harro Freese, 2 Hamburg 20, Löwenstraße 47

Dipl.-Ing. Günter Fuchs, 8676 Schwarzenbach a. d. Saale

Antoinette Goltermann, c/o. Stuttgarter Gardinenfabrik GmbH., 7033 Herrenberg/Württ.

Hans Gugelot (1920–1965)

Prof. Hans Hartl, 61 Darmstadt, Mörikeweg 5

Horst Hartmann, 7 Stuttgart, Hauptmannsreute 126

Willy Herold, 8 München 13, Birnauerstraße 13

Prof. Herbert Hirche, 1 Stuttgart, Am Weissenhof 1

Bernhard Jablonski, 7021 Musberg üb. Stuttgart-Vaihingen, Hermann-Löns-Straße 38

Prof. Walter M. Kersting, 8221 Waging am See

Käthe Kruse, 885 Donauwörth, Postfach 29

Hugo Kükelhaus, 477 Soest, Nöttenstraße 29

Josef Kuntner, 7858 Weil am Rhein, Postfach 23

Günter Kupetz, Staatliche Werkkunstschule Kassel, 35 Kassel, Menzelstraße 15

Louis L. Lepoix, 707 Baden-Baden, Quettigstraße 10a

Herbert Lindinger, Hochschule für Gestaltung, 79 Ulm/Donau

Heinrich Löffelhardt, 7 Stuttgart-S, Stitzenburgstraße 6

Franz Xaver Lutz, 8 München 13, Adelheidstraße 8

Tomás Maldonado, Hochschule für Gestaltung, 79 Ulm/Donau

Ralph Michel, 645 Hanau, Freiheitsplatz 14

Prof. Ludwig Mies van der Rohe, 230 East Ohio, Chicago, Ill., USA

Ernst Moeckl, 7 Stuttgart-W, Botnanger Straße 48

Helmut Müller-Kühn, c/o. Fried. Krupp Zentralinstitut f. Forschung u. Entwicklung, 43 Essen, Münchener Straße 100 a-c

Dipl.Ing. Hermann Nägele, c/o. Bölkow GmbH., 8012 Ottobrunn b. München

Dr.-Ing. Dieter Oestreich, 6101 Seeheim b. Darmstadt, Domweg 9

Herbert Oestreich, Staatliche Werkkunstschule Kassel, 35 Kassel, Menzelstraße 15

Dr.-Ing. Ferdinand Porsche, 7 Stuttgart-Zuffenhausen, Porschestraße 42

Carl Pott, 565 Solingen, Ritterstraße 28

Rudolf Scharfenberg, Hochschule für Gestaltung, 79 Ulm/Donau

Norbert Schlagheck, c/o. Siemens-Werke, Abt. Formgebung, 8 München, Oskar-von-Miller-Ring 18

Dipl.Ing. Peter Sieber (1911—1965)

Erich Slany, 7301 Eßlingen/Neckar-Zell, Kirchstraße 36

Alexander von Sydow, c/o. Siemens-Reiniger-Werke AG., 852 Erlangen, Henkestraße 127

Mart Stam, Amsterdam, Holland

Michael Thonet (1796—1871)

Dipl.Ing. C. W. Voltz, 61 Darmstadt, Ahastraße 9

Stud.Rat Paul Voß, 565 Solingen-Wald, Schubertstraße 13

Prof. Wilhelm Wagenfeld, 7 Stuttgart-O, Breitlingstraße 37

Hans-Jörg Walter, Riehentorstraße 7, Basel, Schweiz

Ossi Weiss, 798 Ravensburg, Frauenstraße 2

Walter Zapp, CH 9413 Oberegg AI, Ebenau, Schweiz

Theo Zeitler, 6 Frankfurt 1, Liebigstraße 48

AEG Allgemeine Elektricitäts-Gesellschaft, Bereich Forschung und Entwicklung, 6 Frankfurt/Main-Hausen, Königsberger Straße 8

Robert Bosch GmbH., Gestaltungsabteilung, 7 Stuttgart 1, Breitscheidstraße 4

Braun AG., Gestaltungsabteilung, 6 Frankfurt/Main, Rüsselsheimer Straße

form GmbH., 4 Düsseldorf, Berliner Allee 21

Form-Technic International, 707 Baden-Baden, Quettigstraße 10 a

Institut Gugelot, Gesellschaft für Produktentwicklung und Design mbH., 791 Neu-Ulm, Hermann-Köhl-Straße 26

Hochschule für Gestaltung, 79 Ulm/Donau

Igl-Industrieformgebung, 82 Rosenheim, Westernheim-St. Peter

Interform, 318 Wolfsburg, Postfach 207

Fried. Krupp Zentralinstitut f. Forschung u. Entwicklung, 43 Essen, Münchener Str. 100 a-c

MAN Maschinenfabrik Augsburg-Nürnberg AG., Architekturabteilung, 6095 Gustavsburg

Siemens-Werke, Abteilung Formgebung, 8 München, Oskar-von-Miller-Ring 18

Verzeichnis der Hersteller
Index of Firms
Répertoire des entreprises

AEG, 6 Frankfurt/Main. Die 1883 von Emil Rathenau gegründete Allgemeine Elektricitäts-Gesellschaft (AEG) gehört heute zu den Weltunternehmen der Elektroindustrie. Auch auf dem Gebiet der Formgestaltung hat die AEG seit Peter Behrens eine führende Stellung inne. Ihre Geräte und technischen Anlagen zeichnen sich gleichzeitig durch Schönheit der Form und Zuverlässigkeit der Funktion aus.

The Allgemeine Elektricitäts-Gesellschaft (AEG) was founded in 1883 by Emil Rathenau, and is today one of the most important electrical concerns in the world. Due to the pioneer work of Peter Behrens, AEG is also recognized as leading in the field of industrial design. AEG electrical appliances and technical installations are renowned for reliable functioning and quality of design.

L'Allgemeine Elektrizitäts-Gesellschaft (AEG), fondée en 1883 par Emil Rathenau, forme aujourd'hui un des premiers consortiums mondiaux de l'industrie électrique. Depuis l'époque de Peter Behrens, elle s'est également acquis un nom sur le plan esthétique. Ses appareils et installations techniques réunissent la perfection de la forme et la qualité fonctionnelle.

Agfa-Gevaert AG., 8 München. Der Grundstein zum Agfa Camera-Werk wurde bereits 1925 durch Erwerb der Firma Rietzschel, München, gelegt. Durch den großzügigen Neubau eines Camera-Werkes wurden 1927 die Voraussetzungen für die Großserienfertigung preiswerter photographischer Apparate geschaffen. Agfa erreichte damit, daß die Amateur-Photographie in weiteste Kreise der Bevölkerung getragen wurde. Bereits 1929 wurde auch die Herstellung von Amateurfilmcameras und Projektoren aufgenommen und 1930 folgte die Hestellung von Dunkelkammergeräten für den Photohandel. Die Anzahl der Beschäftigten hat sich von anfänglich einigen hundert Personen inzwischen auf rund fünfeinhalbtausend erweitert.

The foundation of the Agfa Camera-Werk was already laid in 1925 with the acquisition of the Munich firm of Rietzschel. Mass-production of cheap photographic equipment began when the new large camera factory was completed in 1927. Through Agfa cameras amateur photography soon became widely popular in Germany. Already in 1929 Agfa began the production of amateur cine cameras and projectors, and in 1930 darkroom equipment for the photography trade was added to the production programme. The personnel has risen from the few hundred employed in the first years to some five and a half thousand employees today.

C'est l'achat de la firme Rietzschel, à Munich, en 1925, qui marque pour cette société la date de sa naissance; dès 1927, la construction de vastes bâtiments industriels lui permettait de construire en grande série des appareils photographiques. Agfa conquit ainsi les milieux les plus différents à la photographie d'amateur. En 1929, elle se lançait dans la fabrication de caméras et de projecteurs, que devait suivre en 1930 une production d'appareils à chambre noire pour les négociants en photo. Les quelques centaines d'employés du début sont devenus cinq mille cinq cents.

Anker-Teppich-Fabrik, Gebr. Schoeller, 516 Düren. Die Firma wurde 1854 in Düren gegründet und befindet sich seit dieser Zeit in Familienbesitz. Das Programm umfaßt neben abgepaßten Teppichen in verschiedensten Mustern vor allem Teppichböden. Von diesen werden 14 Qualitäten in 126 Farben und Dessins serienmäßig in den Breiten 67 cm bis 450 cm neben Sonderanfertigungen hergestellt. Verarbeitet werden alle bewährten Textilfasern in bekannten Webarten und im Tapinovaverfahren. Ein erheblicher Teil des Exports erfolgt auf Grund der weltbekannten Qualität und Zuverlässigkeit der Lieferung auch in Länder mit hoher Eigenproduktion.

Founded in Düren in 1854, the firm is still in the Schoeller family. Besides special orders, production includes carpets in a wide range of patterns, as well as wall-to-wall carpeting which is produced in series in 14 qualities and 126 colours and designs, and widths from 67 cm to 450 cm (approx. 26" to 14'6"). All the textile fibres are used in the well-known Anker weaves and in the Tapinova process. Carpets are exported to many countries, including those with a high production of their own, which speaks for their world reputation for quality and reliability.

Depuis la fondation de l'usine à Düren, en 1854, celle-ci est restée aux mains d'une même famille. Son programme de fabrication comprend surtout, outre des tapis aux modèles les plus variés, des moquettes dont il existe 14 qualités en 126 couleurs et dessins. Celles-ci sont produites en série, dans des largeurs allant de 67 à 450 cm, ou sur commande. Comme matières premières, on utilise toutes les fibres textiles consacrées par l'usage, tissées de manière classique ou selon le procédé Tapinova. Une large part des exportations est due à la qualité des produits et à la ponctualité des livraisons, ce qui explique leur importance dans les pays qui sont eux-mêmes producteurs.

Bauer-Filmgeräte sind Erzeugnisse der Robert Bosch Elektronik und Photokino GmbH., Berlin und Stuttgart. Der Betrieb in Stuttgart-Untertürkheim ist aus der Eugen Bauer GmbH. hervorgegangen, die im Jahre 1905 gegründet und 1932 eine Tochtergesellschaft der Robert Bosch GmbH. wurde. „Kino-Bauer" war entscheidend an der technischen Entwicklung der Kinematographie und des Amateurfilms beteiligt.

Bauer photographic equipment is produced by Robert Bosch Elektronik und Photokino GmbH., Berlin and Stuttgart. The works in Stuttgart-Untertürkheim developed from Eugen Bauer GmbH, which was founded in 1905 and became a subsidiary of Robert Bosch GmbH in 1932. "Kino-Bauer" has played a decisive part in the technical development of cinematography and amateur film-making.

Les caméras et projecteurs Bauer sont fabriqués par la Robert Bosch Elektronik und Photokino Sarl., Berlin et Stuttgart. Les usines de Stuttgart-Untertürkheim, qui dépendaient à l'origine de la Sarl Eugen Bauer, fondée en 1905, sont devenues en 1932 une filiale de la Sarl Robert Bosch. «Ciné-Bauer» a eu une part capitale à l'évolution du cinéma et du film d'amateurs.

Blohm & Voss AG., 2 Hamburg Schiffswerft und Maschinenfabrik, gegründet 1877. Zunächst bekannt durch Bau großer Passagierschiffe „Vaterland", „Cap Arcona", „Europa". Heute Bau hochentwickelter Spezialfrachtschiffe sowie vielseitiges Fertigungsprogramm, zu dem Schiffsmotorenbau, Turbinenbau, allgemeiner Maschinenbau, Schiffssondereinrichtungen und eine Kunststoff-Fertigung gehören.

Shipyard and machine factory, established 1877. Originally famous as the builders of the great passenger ships "Vaterland", "Cap Arcona" and "Europa", the firm now builds highly-developed specialized freighters. The varied production programme includes ships' engines, turbines, special equipment for ships, and general machinery. There is also a plastics division.

Chantiers Navals et Construction de machines, fondée en 1877. La renommée des chantiers a été due à la construction de grands paquebots «Vaterland», «Cap Arcona», «Europa». Aujourd'hui, ils bâtissent des cargos hautement spécialisés, mais ajoutent à cette spécialisation la fabrication de moteurs, de turbines, de machines, d'installations pour navires et l'élaboration de matières plastiques.

Gebr. Boehringer GmbH., 732 Göppingen. Gegründet im Jahre 1844. Anfangs wurden Maschinen für die Schafwollspinnerei, Krempel- und Färbereimaschinen hergestellt. Ende der 60er Jahre erweiterte man das Programm durch den Bau von Werkzeugmaschinen. Um die Jahrhundertwende durchgreifende Spezialisierung auf Drehbänke und Hobelmaschinen. 1910 Errichtung einer modernen Gießerei und weiterer Montagehallen. 1945 Aufnahme des Baues von Cottonmaschinen.

Founded in 1844. Originally made machinery for spinning, carding and dyeing wool. In the late sixties the manufacture of machine-tools was added, and by the end of the century the firm was specializing in lathes and planing machines. In 1910 a modern and foundry and a new assembly plant were installed, and in 1945 work was started on the manufacture of cotton-processing machinery.

L'entreprise, fondée en 1844, a commencé par fabriquer des machines à filer et à carder la laine, ainsi que des machines pour teintureries. Vers la fin des années 60, elle ajoutait à sa production celle de machines-outils. Aux environs de 1900 elle se spécialise de plus en plus dans les tours et les raboteuses. En 1910, construction d'une fonderie moderne et de nouveaux ateliers de montage. En 1945, début de la construction de machines à coton.

Bölkow GmbH., 8012 Ottobrunn bei München. Das 1948 gegründete Unternehmen, das auf verschiedensten Gebieten der Luft- und Raumfahrt forschend und entwickelnd tätig ist, produziert in seinem Werk Laupheim das Hochleistungssegelflugzeug der Standardklasse „Phoebus". Dieses besteht in seinen wesentlichen Teilen aus glasfaserverstärkten Kunstharzen. Nur in dieser Bauweise lassen sich bisher die für gute Aerodynamik und damit gute Flugleistungen erforderlichen schlanken, ausgerundeten Konturen und exakten, glatten Oberflächen mit hoher Festigkeit so zu einem harmonischen Ganzen verbinden, daß auch noch eine rationale Fertigung möglich ist.

This concern, which was founded in 1948, is active in research and development in the various aeronautical fields. Its Laupheim works produce the high-efficiency standard-class glider "Phoebus" whose main elements are made of synthetic resin reinforced with glass fibre. So far, this is the only method of construction that allows the harmonious combination of slim, rounded profiles and smooth surfaces with a high degree of rigidity essential for efficient flight, while ensuring low production costs.

Cette entreprise, fondée en 1948, travaille dans les domaines les plus divers de la recherche aéronautique et spatiale; mais son usine de Laupheim se consacre à la fabrication d'un planeur de grandes performances appartenant à la classe standard «Phébus». Son fuselage est essentiellement fait de résines synthétiques renforcées de fibres de verre. Cette construction est la seule qui permette d'obtenir les lignes fines et arrondies, les surfaces polies, précises et solides nécessaires à un aérodynamisme satisfaisant et à de bonnes performances. L'ensemble est si harmonieux qu'on peut le produire rationnellement.

Wilhelm Bofinger, Möbelwerkstätten, 7129 Ilsfeld/Heilbronn. 1888 Gründung der Firma Bofinger als Unternehmen für Innenausbau in Stuttgart. 1954 Umstellung auf Serienproduktion. 1958 Übernahme des Möbelbausystems M 125 (Entwurf: Hans Gugelot). 1960 Bezug der neu errichteten Fabrik in Ilsfeld. 1961 Aufnahme der Lizenzherstellung der Laverne-Möbel aus USA. Ab 1963 Produktion von glasfaserverstärkten Polyester-Möbeln (Liege 1963, Stuhl 1966).

Founded in Stuttgart in 1888 for the manufacture of interior fittings; 1954 began mass-production; 1958 adopted the M 125 furniture construction system designed by Hans Gugelot; 1960 moved to new premises at Ilsfeld; 1961 started manufacture under licence of American "Laverne" furniture; 1963 began production of glass-fibre reinforced polyester furniture (couch 1963, chair 1966).

En 1888, la maison Bofinger commençait à faire de la décoration d'intérieur à Stuttgart. En 1954, passage à la production en série. En 1958, adoption du système de construction M 125 (Design: Hans Gugelot). En 1960, ouverture d'une nouvelle fabrique à Ilsfeld. Depuis 1961, fabrication sous licence des meubles américains Laverne. A partir de 1963, production de meubles en polyester renforcés de fibres de verre (chaise-longue 1963, chaise 1966).

Boley & Leinen, 73 Eßlingen. Im Jahre 1905 wurde die Werkzeug- und Maschinenfabrik Boley & Leinen gegründet. Sie begann die Produktion mit der Erfindung des Gründers, den heute noch hergestellten Parallel-Schraubstöcken „Original Leinen" und Präsizions-Uhrmacher-Drehbänken. 1908 wurde die Fertigung von Präzisions-Leit- und Zugspindel-, Mechaniker-, Revolver- und Produktions-Drehbänken aufgenommen. Erfolgreiches Bemühen auf den Weltmärkten, ermöglicht durch neue Konstruktionen, zielbewußte Planung und modernste Produktionsmethoden kennzeichneten in den weiteren Jahren und auch heute noch den Weg der Firma.

Founded in 1905, the firm began production with the "Original Leinen" parallel vice, invented by the founder and still in production, and precision watchmakers' lathes. In 1908 production was extended to precision screwcutting and feedshaft lathes, high-speed precision lathes for small parts, and turret and general-purpose lathes. The firm's progress always has been and still is characterized by new products, intelligent and far-sighted planning and the most modern production methods.

L'année 1905 voyait la fondation de la fabrique d'outils et de machines Boley et Leinen. A la base de sa production se trouvait une invention du fondateur, qui est encore fabriquée de nos jours, sous le nom d'étaux parallèles «Original Leinen», et des tours d'horlogerie. On y ajoutait, en 1908, la production de tours à fileter, de tours à charioter, de tours de mécanicien, de tours-revolver et de tours de production. Le succès remporté par la firme sur le marché mondial, et facilité par de nouvelles constructions, une planification conséquente et les méthodes les plus modernes, ont caractérisé depuis la voie suivie par Boley et Leinen.

Das **Haus Bosch** wurde 1886 gegründet. Heute gehören zum Bosch-Firmenverband u. a. fünf deutsche Tochtergesellschaften und 16 Auslandsgesellschaften; von den rund 87 000 Mitarbeitern im Bosch-Firmenverband sind etwa 16 000 im Ausland beschäftigt. Schwerpunkte der Bosch-Fertigung sind: Kraftfahrzeugausrüstung, hydraulische und pneumatische Geräte, Elektrowerkzeuge, Haushaltgeräte und Industrieausrüstungen. Die hohe Qualität der Bosch-Erzeugnisse wird unterstrichen durch eine entsprechende Formqualität.

The House of Bosch was established in 1886. The Bosch group includes five German subsidiaries as well as sixteen companies in other countries. Of the total of 87,000 employees, some 16,000 work abroad. Among the main Bosch products are automobile parts and accessories, hydraulic and pneumatic machinery, electrical tools and components, household appliances and industrial equipment. Bosch products combine quality with a high standard of design.

La firme Bosch a été fondée en 1886. Le consortium auquel elle a donné naissance embrasse maintenant cinq filiales allemandes et seize sociétés étrangères; des 87 000 collaborateurs de la maison, 16 000 environ travaillent à l'étranger. Nous mentionnerons seulement quelques points importants de son programme: équipement automobile, engins hydrauliques et pneumatiques, outillage électrique, appareils électro-ménagers et équipement industriel. La valeur des produits Bosch est soulignée par une forme aussi remarquable.

Braun AG., 6 Frankfurt/Main, Rüsselsheimer Straße. Die 1921 in Frankfurt/Main gegründete Firma wurde 1932 durch die erste Konstruktion eines Phonosupers weithin bekannt. Das Herstellungsprogramm umfaßt „moderne Geräte für moderne Menschen": Radio-, Fernseh-, Band- und Stereo-Anlagen, elektrische Trockenrasierer, Föhne, Haushaltsmaschinen aller Art, Dia-Projektoren, Hobby-Elektronenblitzgeräte und anderes.

Established in Frankfurt in 1921, this firm achieved a wide reputation in 1932 with the construction of the first phonosuper. The production of "modern appliances for modern people" includes radio and television sets, taperecorders, stereo equipment, electric razors, dryers, household appliances of all kinds, diaprojectors, hobby electronic flash-lights, etc.

Cette entreprise, fondée en 1921 à Francfort, a dû sa célébrité mondiale au premier modèle d'électrophone qu'elle a lancé sur le marché en 1932. Son programme de fabrication comprend «des appareiles modernes pour l'homme moderne» — postes de radio et de télévision, magnétophones et installations stéréophoniques, rasoirs électriques, séchoirs à cheveux, appareils ménagers de toute espèce, projecteurs à dias, flashs électroniques pour amateurs de photo, etc.

Bremer Tauwerk-Fabrik F. Tecklenborg & Co., 282 Bremen-Grohn. Das 1793 gegründete Werk nahm die Produktion von Teppichen nach dem Zweiten Weltkrieg auf. Als Rohmaterial dient die exotische agave siselana. Ihre Fasern werden durch und durch gefärbt, gesponnen und geschoren. Daraus entstehen in der Weberei BTF Teppiche und Läufer in verschiedenen Bindungen. Namhafte Entwerfer besorgen Farbgebung und Musterung. Die Verarbeitung des Gewebes ist klar, präzis und materialgerecht.

Founded in 1793, the Bremen cordage works began to manufacture carpets after World War II. The raw material used is sisal, the fibre of the exotic agave siselana, deep-dyed, spun, cut and woven in the BTF factories into carpets and runners in a variety of weaves. Well-known designers are responsible for the colour and patterns of the carpets which are woven with precision in clear designs adapted to the material used.

Cette entreprise, fondée en 1793, s'est mise à fabriquer des tapis depuis la seconde guerre mondiale. Elle utilise, comme matière première, une plante exotique, l'agave siselana, dont les fibres sont teintes, filées et coupées. La filature de la BTF en produit des tapis et des passages de points différents. Des dessinateurs de renom conçoivent pour elle les modèles et les coloris; ces fibres sont toujours mises en œuvre de façon claire, précise et conforme à leur nature.

Büssing Automobilwerke AG., 33 Braunschweig. Büssing Nutzfahrzeuge sind seit mehr als sechs Jahrzehnten ein Begriff in aller Welt. Das Büssing Bauprogramm umfaßt Lastwagen, Kipper, Sattelschlepper, Spezialfahrzeuge und Trambusse aller Bauarten von 9 bis 26 t Gesamtgewicht mit liegenden (Unterflur-) und stehenden Dieselmotoren. Der Anteil der Unterflurbauart, welche die Nutzfahrzeugkonstruktion entscheidend beeinflußt hat, an der Gesamtproduktion beträgt 80%. Mit der Anlehnung an den Salzgitter-Konzern erfolgte in den letzten Jahren eine umfassende Neugliederung der Betriebsanlagen nach den neuesten vertriebs- und fertigungstechnischen Erkenntnissen.

For more than 60 years Büssing vehicles have had a world-wide reputation. Büssing products include lorries, dump-trucks, saddle-tractors, special purpose vehicles and trolley-buses and rail-cars of various types, with overall weights of between 9 and 36 tons, and with vertical and horizontal (under-floor) diesel motors. The under-floor construction, which has had a decisive influence on commercial vehicle production, is used in 80% of the vehicles. Alliance with the Salzgitter concern in recent years has resulted in the reorganization of the plant, etc. in accordance with the most modern production and marketing techniques.

Les véhicules utilitaires Büssing sont, depuis plus de six décennies, répandus dans le monde entier. Büssing fabrique des camions, des bennes, des tracteurs, des véhicules spéciaux et des autobus de toutes espèces, pesant de 9 à 26 tonnes avec moteurs Diesel verticaux ou horizontaux. Cette dernière construction, dite en tunnel, qui a influencé de façon décisive la fabrication des véhicules utilitaires, représente à elle seule 80% de la production de Büssing. L'association de la firme au consortium de Salzgitter a permis au cours des années passées une rationalisation des divers services selon les principes techniques les plus modernes.

Burkhardt & Weber KG., 741 Reutlingen. Das 1888 gegründete Unternehmen — 1936 in eine Kommanditgesellschaft überführt — konzentrierte frühzeitig sein Produktionsprogramm auf die Herstellung von hochentwickelten Bohr-, Dreh- und Fräsmaschinen neben Sondermaschinen und Kaltkreissägen. Besonders wurde durch eigenständige Entwicklungen der Bau vielspindliger heute elektronisch gesteuerter Bohrmaschinen gefördert.

The firm was established in 1888 and became a limited partnership in 1936. From early days the production programme concentrated upon high-grade boring, drilling and milling machines, as well as special machines and cold circular saws. The firm has further developed the construction of multi-spindle boring machines, today electronically controlled.

Cette entreprise, créée en 1888 et transformée en 1936 en société par commandite, s'est mise très tôt à concentrer son programme sur la fabrication de perceuses, fraiseuses et tours à haut rendement, auxquels elle ajoute des machines spéciales et des scies circulaires à froid. Ses bureaux d'étude ont en particulier largement contribué à la réalisation de perceuses multi-arbres, commandées de nos jours électroniquement.

Daimler-Benz AG., Stuttgart-Untertürkheim. Die Firma entstand 1926 durch Zusammenschluß der zwei ältesten Automobilfabriken der Welt, der Firmen Daimler-Motoren-Gesellschaft und Benz & Cie. Sie zählt heute mit über 82 000 Beschäftigten (8 Werke in Deutschland, 3 Produktionsgesellschaften im Ausland) zu den führenden Unternehmen der Automobilindustrie und hat den Automobilbau durch technische Entwicklungen maßgeblich beeinflußt. Rennsiege haben den Mercedes-Stern in aller Welt bekannt gemacht und zum Symbol von Leistung und Qualität werden lassen. Charakteristisch für das Produktionsprogramm ist die Vielfalt der Erzeugnisse. Es umfaßt Personenwagen, Lastkraftwagen, Omnibusse und Mehrzweckfahrzeuge in zahlreichen Modellen.

The firm came into being in 1926 through the amalgamation of the world's two oldest automobile factories, Daimler-Motoren-Gesellschaft and Benz & Cie. Today with over 82,000 employees (8 works in Germany and 3 production companies abroad) it is still one of the greatest enterprises in the automobile industry and its technical developments have exercised considerable influence on motor-car design. Racing wins brought world renown to the Mercedes Star and made it the symbol of reliability and performance. One characteristic of the firm's output is its variety, which embraces a wide range of motor-cars, trucks, buses and multipurpose vehicles.

La fusion des deux plus anciennes fabriques d'automobiles du monde, Daimler-Motoren-Gesellschaft et Benz et Cie, donna naissance à l'entreprise actuelle. Celle-ci, avec plus de 82.000 salariés (8 usines en Allemagne, trois sociétés de production à l'étranger) est à la pointe d'une industrie automobile dont elle a fortement influencé l'évolution technique. Ses succès en course ont donné à l'étoile qui est l'emblème de Mercédès une réputation mondiale; ils en ont fait un symbole de performances et de qualité. Une des caractéristiques du programme de Mercédès est sa variété; il comprend des voitures de tourisme comme des camions, des omnibus et des véhicules polyvalents de divers modèles.

Dennert & Pape Aristo-Werke KG., 2 Hamburg. Das 1862 gegründete Unternehmen begann 1872 mit der Herstellung von Rechenstäben. 1935 wurden erstmals Rechenstäbe und Zeichengeräte ganz aus maßbeständigen Kunststoffen hergestellt, die sich seitdem unter dem Warenzeichen ARISTO wegen ihrer Zweckmäßigkeit und Präzision Weltgeltung erworben haben. Weitere Arbeitsgebiete der Firma sind Spezial-Zeichenmaschinen zur Anfertigung maßgenauer Zeichnungen und numerisch gesteuerte Anlagen zum automatischen Zeichnen und Messen.

Established in 1862, the firm began the manufacture of slide-rules in 1872. In 1935 slide-rules and drawing instruments were for the first time made from constant-dimension plastic. Their precision and practicability has made the trade-mark ARISTO known the world over. The firm is also active in the manufacture of special drawing machines for the production of precision drawings, and numerically controlled automatic drawing and measurement apparatus.

L'entreprise, fondée dès 1862, se mit dix ans plus tard à fabriquer des règles à calculer. En 1935, elle lançait une production de règles à calculer et d'instruments de dessin en matières plastiques aux dimensions permanentes. La marque ARISTO, sous laquelle ils sont connus, doit à leur fonctionnalisme et à leur précision une réputation mondiale. Dennert et Pape produit en outre des machines à dessin spéciales pour la réalisation d'esquisses exactes et des installations à commande mathématique pour le dessin et la la mesure automatiques.

Deutsche Werft, Aktiengesellschaft, 2 Hamburg. Gegründet 6. 6. 1918 durch Gutehoffnungshütte, Allgemeine Elektricitätsgesellschaft, Hamburg Amerika-Linie. Die Deutsche Werft baut Seeschiffe aller Art, insbesondere Tanker, Massengutfrachter, schnelle Frachtmotorschiffe und Kühlschiffe. Der Zweigbetrieb Deutsche Werft Reiherstieg, inmitten des Hamburger Hafens, dient ausschließlich Reparaturaufträgen. Die Herstellung zahlreicher Sonderfabrikate für die Seeschiffahrt ergänzt das Bauprogramm der Deutschen Werft.

This firm was founded on 6 June 1918 by the Gutehoffnungshütte, Allgemeine Elektricitätsgesellschaft and Hamburg-Amerika Line. The Deutsche Werft builds ocean-going ships of all types, especially tankers, bulk carriers, fast motor freighters and refrigerated ships. The Deutsche Werft branch yard at Reiherstieg, in the centre of the Port of Hamburg, specializes exclusively in repair contracts. The manufacture of special products for ocean shipping completes the building programme of the Deutsche Werft.

Ces chantiers navals ont été créés le 6. 6. 1918 par la Gutehoffnungshütte, AEG et la Hamburg-Amerika-Linie. Ils construisent des navires de toute espèce, en particulier des pétroliers, des cargos lourds et rapides et des bateaux frigorifiques. Une filiale, la Deutsche Werft Reiherstieg, située au cœur du port de Hambourg, se consacre uniquement aux réparations. Ce programme est complété par la fabrication de nombreux appareillages maritimes spécialisés.

Deutsche Werkstätten Fertigungsgesellschaft mbH., 8 München. Karl Schmidt, einer der Väter des Deutschen Werkbundes, gründete 1898 die Deutsche Werkstätten AG. und die erste deutsche Gartenstadt in Hellerau bei Dresden. Profilierte Designer und Architekten haben zu allen Zeiten ihr Schaffen in den Dienst der Deutschen Werkstätten gestellt. Das Programm umfaßt funktionell einwandfreie Möbel und Gebrauchsgegenstände von gültiger Form — aus wertvollen Materialien.

Karl Schmidt, one of the fathers of the German Werkbund, founded in 1898 the Deutsche Werkstätten AG and the first German garden city in Hellerau near Dresden. Well-known artists and architects have always contributed to the designs of the Deutsche Werkstätten. The production programme comprises high-quality functional furniture and articles for daily use of timeless design made of first-class materials.

Karl Schmidt, un des créateurs du Werkbund, fondait en 1898 les Deutsche Werkstätte (Ateliers Allemands) en même temps qu'il concevait, à Hellerau près de Dresde, la première ville-jardin d'Allemagne. Les stylistes et les architectes les meilleurs ont, depuis lors, mis leur talent au service des Deutsche Werkstätte. Le programme de production de celles-ci comprend des meubles fonctionnels, des objets courants de forme valable, le tout en matériaux de qualité.

Diehl, 85 Nürnberg. 1947 wurde von Diehl neben dem Halbzeugwerk die Uhrenfabrikation aufgenommen. Gefertigt werden Wand-, Küchen-, Büro- und Stiluhren sowie Wecker und Zeitschaltgeräte. Als eines der Hauptprodukte ist die Diehl „mini-clock" mit Batteriewerk und Kalender anzusehen. 1952 begann Diehl mit der Fertigung von Rechenmaschinen. Neben der 1963 herausgebrachten druckenden „transmatic" wurde 1966 die druckende elektronische Rechenmaschine mit Programmspeicher „combitron" vorgestellt.

In 1947 Diehl began to make watches and clocks in addition to their programme of semi-finished mechanical articles. The firm manufactures wall, kitchen and office clocks, as well as clocks in period style, alarm clocks and timers. One of the principal products is the Diehl „mini-clock" with battery and calender. In 1952 Diehl began the production of calculating machines. The „transmatic" appeared on the market in 1963 and was supplemented in 1966 by the electronic calculating machine „combitron".

En 1947, Diehl ajoutait la fabrication des montres à celle des ébauches. L'entreprise produit des pendules murales, des pendules de cuisine, de bureau et de style, ainsi que des réveils et des minuteries. L'une de ses réalisations majeures est certainement le „mini-clock" à piles et calendrier. Depuis 1952, enfin, Diehl s'est mis à construire des machines à calculer. Outre la "transmatic" à impression (1963), il faut citer dans ce domaine le "combitron" électronique à impression avec programme emmagasiné.

Dornier-Werke GmbH., 799 Friedrichshafen und 8 München. Die Ursprünge der in Familienbesitz befindlichen Dornier-Unternehmen reichen in das Jahr 1914 zurück. Zahlreiche neue Konstruktionen im Flugzeugbau sind hier entwickelt worden. Besondere Berühmtheit erlangten die Flugboote der „Wal-Familie", mit denen Amundsen, von Gronau und R. Franco ihre Pol- und Atlantikflüge durchführten; daneben das Landflugzeug DO 17. Das Unternehmen umfaßt heute mehrere Tochtergesellschaften und beschäftigt etwa 4000 Mitarbeiter. Die Entwicklung und Forschung konzentriert sich vor allem auf Kurz- und Senkrechtstart-Flugzeuge und auf Untersuchungen zu Raumfahrt und Flugkörpern.

The origins of this family enterprise go back to 1914. Many new designs in aircraft construction were developed in these works. Particularly famous were the "Wale" flying boats used by Amundsen, von Gronau, and R. Franco for polar and Atlantic flights, as well as the land plane DO 17. Today there are several subsidiaries employing in all some 4,000 people. Research and development is concentrated primarily on short take-off and VTO aircraft as well as on space craft and missiles.

Il faut remonter à 1914 pour fixer la date de naissance d'une entreprise qui est restée aux mains d'une même famille. Dans ses hangars, on a conçu nombre d'appareils nouveaux. Nous citerons seulement les hydravions du type «Baleine» avec lesquels Amundsen, von Gronau et R. Franco ont survolé le Pôle et l'Atlantique, ainsi que l'avion DO 17. La firme Dornier possède aujourd'hui plusieurs filiales et emploie environ 4000 personnes. Elle s'occupe surtout d'avions à décollage rapide ou vertical, et d'études sur le vol spatial et les engins cosmiques.

Erbe Elektromedizin, 74 Tübingen. Die Firma, 1847 von Christian Erbe gegründet, besteht heute in der vierten Generation. Sie kann für Deutschland als erste den Anspruch erheben, ein zusammenhängendes System von elektromedizinischen Geräten auf den Markt gebracht zu haben, deren konstruktive, ergonomische und formale Aspekte konsequent durchdacht worden sind. Das Produktionsprogramm umfaßt Geräte für: Elektrochirurgie, Ultrakurzwellen-, Dezimeterwellen- und Mikrowellenbestrahlung, Reizstromdiagnostik und -Therapie. Endoskopie und Kaustik.

Founded by Christian Erbe in 1847, the firm is now in its fourth generation in the family. It is the first German firm which can claim the distinction of producing the first systematic range of electro-medical apparatus in which construction, design and ergonomic aspects have been worked out with thoroughness and accuracy. The range includes apparatus for electro-surgery, VHF, decimeter and microwave radiation, electro-diagnosis, electric shock therapy, endoscopy and electro-cauterization.

Cette entreprise fut créée en 1847 par Christian Erbe; c'est aujourd'hui la quatrième génération d'une même famille qui l'administre. Elle peut se flatter d'avoir été la première à produire en Allemagne un ensemble logique d'appareils électromédicaux, dont les aspects constructifs, ergonomiques et formels sont mûrement pensés. Son programme embrasse les domaines suivants: appareils pour l'électro-chirurgie, l'irradiation aux ondes ultra-courtes, décimétriques et micrométriques, le diagnostic et la thérapeutique par courants d'excitation, l'endoscopie et la caustique.

Das **Ertel-Werk für Feinmechanik,** 8 München, gegründet 1802 von Georg v. Reichenbach, fortgeführt von Traugott Ertel, steht heute unter Leitung von Carl Preyß, dessen Vater das Werk seit 1921 reorganisierte. Das Unternehmen produziert geodätische Instrumente, wie Theodolite und Nivellierinstrumente, daneben Präzisionsteilungen auf Glas für Meß- und Regeltechnik und Meß- und Prüfeinrichtungen für Sonderaufgaben. Das Ertel-Werk zählt heute auf Grund richtungsweisender Konstruktionen (automatisches Nivellier 1956) zu den bedeutendsten Herstellern seines Fachgebietes, dessen Erzeugnisse in alle Teile der Welt gehen.

Founded in 1802 by Georg von Reichenbach, taken over by Traugott Ertel, and now under Carl Preyss, whose father began reorganizing the company in 1921, this firm produces geodetic instruments (theodolites, levelling instruments, etc.), precision scales on glass for mensuration techniques, and special checking and measuring apparatus. Its pioneer work (automatic level, 1956) has given the firm a leading position in this specialized field and its products are to be found all over the world.

Les usines de mécanique de précision connues sous le nom d'Ertel furent fondées à Munich en 1802 par Georg von Reichenbach, administrées ensuite par Traugott Ertel; elles se trouvent aujourd'hui sous la direction de Carl Preyss dont le père réorganisa l'entreprise en 1921. Cette firme fabrique des instruments géodésiques — théodolites et niveaux; elle effectue des délimitations de précision sur verre pour les techniques de mesure et de régulation et produit également des installations spéciales de mesure et de contrôle. La maison Ertel, qui dès 1956 montrait certaines voies (niveau automatique) a su rester en tête du progrès; elle exporte dans les cinq parties du monde.

A.W. Faber-Castell, 8504 Stein bei Nürnberg. Die Firma wurde 1761 durch Kaspar Faber gegründet und befindet sich seitdem im Familienbesitz. Neben den weltbekannten Blei-, Farb- und Kopierstiften mit den Marken Castell und Goldfaber erzeugt Faber-Castell eine große Zahl von Zeichen- und Rechengeräten — für Ingenieure, Architekten, Techniker, Studenten, Schüler —, ferner Füllhalter, Kugelschreiber und -minen, Filzschreiber, Leichtschreiber, Temperatur-Meßfarben.

Founded in 1761 by Kaspar Faber, this firm is still a family business. Besides the world-famous Castell and Goldfaber lead, coloured and copying pencils, the firm makes a variety of drawing and calculating equipment for engineers, architects, technicians, students and school children, not to mention fountains pens, ball-points pens and refills, felt-tip pens, etc.

Depuis sa fondation par Kaspar Faber en 1761, l'entreprise est restée propriété de la même famille. On connaît dans le monde entier les crayons à dessin, à copier et de couleur Castell et Goldfaber, mais la fabrique produit en outre un grand nombre d'ustensiles de dessin et de règles à calculer pour les ingénieurs, les architectes, les techniciens, les étudiants et les lycéens, ainsi que des stylos, des stylo-billes et des stylo-mines, de stylo-feutres, des stylos légers et des colorimètres.

Faun-Werke Nürnberg, 856 Lauf a. d. Pegnitz. Das Unternehmen mit mehreren Zweigwerken wurde 1845 gegründet und befaßt sich seit Beginn mit der Fertigung, dem Vertrieb und der Betreuung leistungsfähiger, technisch hochentwickelter und wirtschaftlicher Nutzfahrzeuge. Neben Schwerlast- und Baufahrzeugen bis zu 65 Tonnen Gesamtgewicht werden Sonder- und Kommunalfahrzeugen aller Art für unterschiedlichste Aufgaben produziert.

Since its establishment in 1845 the firm, with several branch works, has concentrated upon the production, sale and service of transport vehicles noted for a high standard of technical efficiency as well as low costs. In addition to heavy lorries and building construction vehicles up to 65 tons, the production programme includes municipal vehicles and special vehicles of all kinds for various uses.

Cette entreprise, qui compte plusieurs filiales, a été créée en 1845; depuis lors, elle se consacre à la fabrication, à la vente et à l'entretien de véhicules utilitaires qui réunissent la puissance, la qualité technique et la rentabilité. Outre des camions et des véhicules pour entreprises de construction d'un poids pouvant aller jusqu'à 65 tonnes, les Usines Faun produisent des véhicules spéciaux et des voitures municipales pour les emplois les plus divers.

Felix Gloria-Werk, 565 Solingen. Die Stahlwarenfabrik ist seit 1843 für die Herstellung von Schneidwaren bekannt. Bemühungen um gute Produktform setzten mit den von Prof. Karl Dittert gestalteten Messern für Küche und Tisch einen neuen Standard für Schneidwaren. Daneben entwickelt das Unternehmen Tafelhilfsgeräte und Bestecke aus rostfreiem Stahl mit hochwertigen Kunstharzgriffen in guter Form.

Felix Gloria-Werk has been famous for its cutlery since 1843. This firm, which has always been concerned with the good design of its products, set a new standard for table and kitchen knives with the designs of Professor Karl Dittert. In addition to knives, the firm also produces well-designed tableware, etc. in stainless steel with high-quality synthetic handles.

Depuis 1843, ces usines se sont fait un nom dans l'industrie de la coutellerie. Leurs efforts en vue d'une forme satisfaisante leur ont permis, grâce aux couteaux de table et de cuisine conçus par le Prof. Karl Dittert, d'établir de nouveaux critères de qualité. De plus, l'entreprise produit des ustensiles et des couverts en acier inoxydable, avec des poignées en résine synthétique qui convainquent également par leur solidité et leur forme.

Eisenwerk Gebr. Frisch KG., 89 Augsburg. 1902 gründeten die Brüder Nikodemus und Heinrich Frisch aus dem väterlichen Schlossereibetrieb die Firma Eisenwerk Gebr. Frisch KG., Augsburg. Heute gehört die Firma zu den größten Betrieben der metallverarbeitenden Industrie in Bayern und den ältesten Herstellern von Erdbewegungsmaschinen in Europa. In rund 80 Ländern der Erde werden „Frisch"-Baumaschinen eingesetzt.

The firm was founded by the brothers Nikodemus and Heinrich Frisch in 1902 from a locksmith's shop established by their father and is now one of the major metal working firms in Bavaria and one of the first which constructed earth moving equipment in Europe. Frisch earth moving machines are used in about 80 countries all over the world.

La firme fut fondée par les frères Nikodemus et Heinrich Frisch en 1902; son berceau fut l'atelier de serrurerie de leur père. Elle fut une des premières à construire du matériel de terrassement en Europe, et aujourd'hui son usine est une des plus importantes de l'industrie métallurgique bavaroise. Les machines Frisch sont utilisées en environ 80 pays du monde.

Girards — Werkzeugmaschinen GmbH., 58 Hagen/Westfalen, hervorgegangen aus der Rheinischen Bohrmaschinenfabrik Mechernich/Eifel, wurde 1954 Tochtergesellschaft der Varta Aktiengesellschaft, Frankfurt/Main, und gehört somit zur Quandt-Gruppe. Das Fabrikationsprogramm umfaßt Radialbohrmaschinen, formgestaltet und konstruiert nach modernen Erkenntnissen auf der Grundlage langjähriger Erfahrungen und praktischer Bewährung.

Girards developed from the Rheinische Bohrmaschinenfabrik of Mechernich, Eifel. In 1954 it became a subsidiary of the Varta AG of Frankfurt on Main and thus a member of the Quant Group. The firm manufactures radial drilling machines whose design and construction combine modern developments with the experience of many years of practical use.

Girards issues de la Fabrique Rhénane de perceuses de Mechernich (Eifel) sont devenues en 1954 une filiale de la S.A. VARTA (Francfort) et appartiennent par conséquent au Groupe QUANDT. Leur programme de fabrication comprend des perceuses radiales, dessinées et conçues selon les normes les plus modernes et témoignant d'une expérience et d'une pratique fort longues.

Glaswerke Ruhr, 43 Essen. Das Unternehmen zählt zur Gruppe der Steinkohlenbergwerke Mathias Stinnes AG., wurde 1923 gegründet und ist eine der größten und modernsten Hohlglashütten Europas, die in drei Werken täglich ca. 3 000 000 Stück Hohlglasartikel herstellt. Neben Getränkeflaschen aller Art, Verpackungsflaschen, Wirtschaftsglas, Konservengläsern, Glasröhren und -stäben usw. werden auch Trinkgläser (SIRA-Becher) in vollautomatischer Massenfertigung produziert, die sich durch vorteilhafte Preisbildung auszeichnen.

This enterprise, which forms part of the Mathias Stinnes AG colliery group, was founded in 1923 and is among the largest and most modern makers of hollow glassware in Europe. Its three factories produce a daily total of some 3,000,000 items, including all kinds of bottles and containers, glass tubing and rods and domestic and table glass (SIRA tumblers), all mass-produced and remarkable for their low price-structure.

Les Glaswerke Ruhr, affiliées aux Houilleries Mathias Stinnes AG., fondées en 1923, comptent parmi les verreries les plus modernes et les plus importantes d'Europe; la fabrication journalière pour ces trois usines, se monte à environ 3 million d'articles. Citons outre les bouteilles pour toutes les boissons, les flacons d'emballage, la verrerie de table, les pots industriels, les tubes et baguettes, sans oublier les verres à boisson (Gobelets SIRA). La fabrication est entièrement automatisée, ce qui permet un niveau de prix très réduit.

Gebrüder Haff GmbH., 8962 Pfronten/Allgäu. Die Anfänge der Fabrik für Reißzeuge und mathematische Instrumente reichen in das Jahr 1835 zurück. Sie befindet sich auch heute noch in Familienbesitz. Die Qualität der hergestellten Geräte gründet sich auf eine über 125 jährige Erfahrung und einen jahrelang geschulten Mitarbeiterstab. Die Reißzeuge und Einzelinstrumente , Haff-PS, Haff-T, Haff-U und Sonderinstrumente für topographische und Katasterarbeiten werden in alle Teile der Welt exportiert.

This firm started manufacturing drawing and mathematical instruments as far back as 1835 and is still in the Haff family. The high quality of the products is the fruit of more than a century and a quarter's experience allied with long and careful training of the staff. Sets and single instruments in the series Haff-PS, Haff-T and Haff-U, and specialized topographical and cadastral instruments are exported to all parts of the world.

Cette fabrique de compas et d'instruments mathématiques a été créée dès 1835 par la famille qui la possède encore. La qualité de ses produits résulte d'une expérience vieille de 125 ans, et d'une équipe de collaborateurs à la formation solide. Les compas et les instruments Haff-PS, Haff-T, Haff-U, ainsi que les instruments spéciaux créés pour les travaux topographiques et le cadastre sont exportés dans toutes les parties du monde.

Hermann Haller, Maschinenbau, 7107 Nordheim b. Heilbronn. Die Firma Hermann Haller, Maschinenbau, wurde im Jahre 1951 in Nordheim gegründet. Zuerst wurden kleinere Spezialmaschinen für die Holzbearbeitung hergestellt. Seit 1956 hat sich die Firma auf die Herstellung von Kehlmaschinen spezialisiert. Zunächst wurden kleine Kehlmaschinen in einfacher Ausführung gebaut. Heute werden Kehlmaschinen für die verschiedensten Zwecke, mit 2—7 Spindeln, mit max. 150 mm Arbeitshöhe, und max. 200 mm Arbeitsbreite hergestellt.

The firm was founded in Nordheim in 1951, manufacturing at first small wood-working machinery. Since 1956 the concern has specialized in moulding machines, starting with smaller machines of simple construction. Today moulding machines are produced for many different purposes, with from 2 to 7 spindles, with a maximum working height of 150 mm and width of 200 mm (approximately 6" and 8").

La société de constructions de machines Hermann Haller a été créée en 1951 à Nordheim. Elle s'est d'abord consacrée à la production de petites machines pour le travail du bois, avant de se spécialiser en 1946 dans la construction de moulurières de type simple. Actuellement, elle met sur le marché des moulurières pour les buts les plus divers, comportant de 2 à 7 arbres, avec une hauteur de travail maximum de 150 mm et une largeur de travail maximum de 200 mm.

Hamburger Flugzeugbau GmbH., 2103 Hamburg 95-Finkenwerder. Das Unternehmen wurde 1933 als „Abteilung Flugzeugbau" der Schiffswerft Blohm & Voss gegründet. Ab 1940 entstanden im neu errichteten Werk Finkenwerder Neukonstruktionen von Schwimmerflugzeugen und Flugbooten, darunter die BV 238 mit einem Fluggewicht von 90 t, das damals größte Flugzeug der Welt. 1954/55 begann der Wiederaufbau der Gesellschaft, deren erste Eigenentwicklung das Geschäftsreiseflugzeug HFB 320 Hansa ist, das sich in Serienfertigung befindet. Daneben beteiligt sich das Unternehmen an zahlreichen nationalen und internationalen Luft- und Raumfahrtprogrammen.

This enterprise was founded in 1933 as the aicraft construction division of the Blohm & Voss shipyard. From 1940 onwards new models of seaplanes and flying boats were produced, including the BV 238 which, with a working weight of 90 tons, was at that time the largest aircraft in the world. Reconstruction of the company began in 1954—5 and its first product was the Hansa HFB 320 businessman's plane now in series production. The firm is also involved in numerous national and international air and space travel projects.

Cette entreprise fut, au départ en 1933, le «département aéronautique» de la Société de construction navales Blohm et Voss. A partir de 1940, les ateliers qui venaient d'être construits à Finkenwerder produisirent de nouveaux types d'avions à flotteurs et d'hydravions, en particulier le BV 238 qui était, avec ses 90 t. de poids en vol, la plus grosse machine du monde. C'est en 1954/1955 que la firme reprit son activité; elle a tout d'abord mis au point un avion d'affaire, le HFB 320 Hansa, qui est fabriqué en série. L'entreprise participe, en outre, à de nombreux projets aériens et spatiaux, allemands ou internationaux.

Hartmann & Braun AG., 6 Frankfurt/Main. Die weltbekannte Hartmann & Braun Firmengruppe mit über 6000 Beschäftigten in zehn Werken fertigt seit mehr als 80 Jahren Präzisionsmeßgeräte für Wissenschaft, Forschung und Technik. Komplette Programme wärmetechnischer und elektrischer Meß- und Regelgeräte dienen den verschiedenen Stufen der Prozeßautomatisierung in industriellen Großbetrieben.

For more than 80 years the well-known Hartmann & Braun group with its 10 factories and over 6,000 employees has been making precision measuring instruments for scientific, research and technical purposes. A complete range of calorimetric and electric measurement and control devices is available for the various stages of process-automation in large industrial plants.

Ce groupe de firmes, à la réputation mondiale, emploie plus de 6.000 personnes dans dix usines. Il fabrique, depuis 80 ans et plus, des instruments de mesure de précision pour la science, la recherche et la technique. Des programmes complets d'appareils de mesure et de réglage calorifiques et électriques servent aux divers stades de l'automation dans les grandes entreprises.

Hatra, Alfred Hagelstein, 2407 Lübeck-Travemünde. Die traditionsreichen Kemna-Werke in Breslau waren Vorbild für den Bau moderner Straßenwalzen. Hatra übernahm die legitime Nachfolge. In modernen Werken in Lübeck-Travemünde und Dillingen/Saar entsteht heute eine Vielzahl von richtungsweisenden Baumaschinen neuester Konstruktion und klarer, funktionsgerechter Formung.

The long tradition of the Kemna factory in Breslau made it the model for modern roadroller construction, and Hatra has succed to this tradition. The modern factories in Lübeck-Travemünde and Dillingen/Saar today produce a wide selection of trend-setting construction machinery combining the latest developments of engineering with good, functional design.

C'est dans la tradition des usines Kemna, de Breslau, que l'entreprise Hatra, qui en est la légitime héritière, a puisé le sens de la construction de rouleaux compresseurs. Des usines modernes, à Lübeck-Travemünde et à Dillingen/Sarre, produisent aujourd'hui nombre de machines de construction à l'avant-garde du progrès, dont la forme est claire et fonctionnelle.

Dr.-Ing. Rudolf Hell, 23 Kiel. Das Unternehmen zur Herstellung von Nachrichtengeräten und elektronischer Reproduktionstechnik wurde 1929 von Dr. Rudolf Hell in Berlin-Babelsberg gegründet. Es begann mit der Produktion des Hell-Schreibers, einem neuartigen Instrument für kommerzielle Nachrichtenübermittlung, das von den meisten deutschen und ausländischen Pressediensten übernommen wurde. 1950 übernahm der neuaufgebaute Betrieb in Kiel die Entwicklung und Fertigung von Telebildgeräten, 1951 die von elektronisch gesteuerten Graviermaschinen zur Herstellung druckfertiger Klischees, die sich einen festen Platz in der internationalen grafischen Industrie zu erwerben vermochten.

Dr Hell started this enterprise in Berlin-Babelsberg in 1929 for the manufacture of telecommunication apparatus and electronic reproduction techniques. He began with the Hell-Schreiber, a new telegraphic device for commercial news transmission and this was adopted by most German and foreign press services. In 1950 the reconstructed factory in Kiel took on the design and production of tele-picture apparatus, and in 1951 electronically-controlled engraving machines which produce blocks which have won a firm position for themselves in the international printing industry.

C'est à Berlin-Babelsberg que le Dr. Rudolf Hell fonda en 1929 une entreprise de fabrication d'appareils de transmission et de reproduction électronique. On y produisit d'abord le télétype Hell, qui permettait de transmettre de manière moderne les informations et fut largement adopté par les agences allemandes et étrangères. En 1950, la fabrique qui s'était rebâtie à Kiel mettait au point des bélinographes, et, à partir de 1951, des machines à graver à commande électronique pour la réalisation automatique de clichés d'imprimerie, qui se sont acquis leur place dans l'industrie graphique internationale.

W. C. Heraeus GmbH., 645 Hanau. Das auf eine weit über hundertjährige Geschichte zurückblickende Familienunternehmen ging aus einer Apotheke hervor und wurde 1909 in eine GmbH überführt. Eine Reihe von Tochtergesellschaften im In- und Ausland neben verschiedenen Beteiligungen rundet das umfangreiche Programm ab, das sich insbesondere auf Erzeugnisse für den chemisch-physikalischen Bereich aus Quarzglas und Edelmetallen spezialisiert hat. Daneben wird Forschung und Entwicklung des Unternehmens auf Hochvakuum- und Elektrowärmetechnik konzentriert.

This firm, which became a limited company as a family business, started in a chemist's shop. Several subsidiaries both at home and abroad as well as various partnerships now contribute to a wide production programme specializing in chemico-physical apparatus involving the use of quartz-glass and rare metals. In addition, research and development are concentrating on high-vacuum techniques and electrical heating processes.

Cette entreprise familiale, qui remonte à plus d'un siècle, a eu une pharmacie pour berceau et est devenue SARL en 1909. Outre des filiales en Allemagne et à l'étranger, elle possède nombre de participations, ce qui lui permet d'élargir un programme essentiellement consacré aux produits de verre quarzé et de métaux rares pour la chimie et la physique. Les bureaux d'étude et de recherche de l'entreprise se penchent en outre sur les problèmes du vide intégral et de la calorification électrique.

Herforder Teppichfabrik Huchzermeyer & Co. GmbH., 49 Herford. 1853 wurde die Firma gegründet. Die Produktion umfaßt Teppiche aus Haargarnen und Wolle, Teppichboden aus Haargarnen und Synthetics. Hergestellt werden nur gewebte Qualitäten, deren Dessins und Farbgebung sich für den modernen Wohnstil eignen.

The firm was established in 1853 and manufactures wool and pile carpeting, as well as wall to wall carpeting of wool and synthetic fibres. Only woven carpets are made, whose designs and colours are suited to modern interiors.

L'entreprise a été fondée en 1853; elle produit des tapis en crin et en laine, des moquettes en crin et matières plastiques. Les qualités tissées correspondent, de par leur dessin et leurs coloris, au style de l'habitation moderne.

Christian Holzäpfel KG., 7273 Ebhausen/Württemberg, hervorgegangen aus einem 1899 gegründeten Handwerksbetrieb. Bekannt wurde das Unternehmen 1954 durch formal und qualitativ hochwertige Büromöbel und später durch die INwand (Design Prof. H. Hirche, Stuttgart). Aus vorfabrizierten Bauelementen gefertigt, hat die INwand als raumtrennende Schrank- und Trennwand bei der modernen Raumplanung im Bürosektor und im Wohnsektor vollkommen neue Wege gewiesen; durch ihre klare Linie der Form, durch außergewöhnliche Schallhemmung und Staubdichte und durch ihre Flexibilität. In zahlreichen europäischen Staaten und in Übersee wird die INwand in Lizenz gefertigt.

The firm developed out of a handicrafts enterprise established in 1899 and became well-known in 1954 for the production of well-designed and high quality office furniture, and later for the introduction of INTERwall (Design: Prof. H. Hirche, Stuttgart). This construction, made up of prefabricated elements, which can be used as a cabinet wall or as a partition, opened up entirely new possibilities in modern interior planning, both for offices and in the home. INTERwall has won a reputation for its clear lines, its sound-proof and dust-proof qualities, and the possibilities for variation. INTERwall is manufactured under licence in many countries in Europe and overseas.

Cette firme provient d'une entreprise artisanale fondée en 1899. L'entreprise a dû sa renommée à l'introduction d'ameublements de bureau de qualité et de style en 1954, et plus tard au lancement de l'INTERpano (Création: Prof. H. Hirche, Stuttgart). Etant fait de pièces constituantes préfabriquées et servant d'armoire-cloison et de cloison simple, INTERpano a montré des possibilités parfaitement nouvelles pour la planification de locaux de bureau et d'habitation, grâce à ses lignes claires, à son insonorisation extraordinaire et son imperméabilité à la poussière excellente, de même qu'à sa diversité. L'INTERpano est fabrique sous licence dans de nombreux pays européens et en outre-mer.

Ideal-Standard GmbH., 53 Bonn. Das 1901 gegründete Unternehmen gehört heute zu den führenden Herstellern der Branche. Die 6 Werke in Neuß, Düsseldorf, Wittlich, Waldbröl und Berlin produzieren Heizkessel, Heizkörper, Heizungs- und Belüftungstruhen, Luftheizgeräte, sanitäre Einrichtungsgegenstände, Armaturen, Kältemaschinen, Klimageräte und Wärmeaustauscher.

Founded in 1901, this is now one of the leading firms in its field. The six factories in Neuß, Düsseldorf, Wittlich, Waldbröl and Berlin produce boilers, radiators, heating and ventilating units, air-heating appliances, sanitary fittings, armatures, refrigeration plant, air-conditioners and heat-exchangers.

Là encore, il s'agit d'une ancienne maison, puisqu'elle a été fondée, en 1901, et qui a acquis une position prédominante. Ses 6 usines de Neuß, Düsseldorf, Wittlich, Waldbröl et Berlin fabriquent des chaudières, des radiateurs, des éléments de chauffage et d'aération, des appareils aéro-chauffants, des équipements sanitaires, des appareils enregistreurs, des réfrigérateurs, des climatiseurs et des échangeurs de chaleur.

Jenaer Glaswerk Schott & Gen., 65 Mainz. Das 1884 von Otto Schott gemeinsam mit Ernst Abbe und Carl Zeiss gegründete Jeaner Glaswerk Schott & Gen. ist die Geburtsstätte der modernen Spezialgläser für Wissenschaft, Technik und Haushalt. Nach 1945 erzwangen die politischen Verhältnisse in Jena die Umsiedlung nach Westdeutschland. 1952 entstand in Mainz ein neuer Zentralbetrieb, zu dem zahlreiche Tochterfirmen im In- und Ausland gehören. Die Produktion umfaßt Spezialgläser für Optik, Chemie, Medizin, Pharmazie, Elektrotechnik, Kerntechnik und Hauswirtschaft sowie Glaskolben für Fernsehbildröhren.

In the Jena glassworks founded in 1884 by Otto Schott, Ernst Abbe and Carl Zeiss originated the modern specialized glass now made for scientific technical and household use. Political conditions in Jena after 1945 forced the firm to move to W. Germany and in 1952 a new central organization was set up in Mainz with numerous subsidiaries both in Germany and abroad. Products include specialized glassware for optical, chemical, medical, parmaceutical, electro-technical, nuclear and domestic purposes and the glass bodies of television tubes.

Les Verreries d'Iena, fondées en 1884 par Otto Schott, Ernst Abbe et Carl Zeiss. sont à l'origine des verres spéciaux utilisés depuis par la science, la technique et le foyer. Les circonstances politiques ont contraint l'entreprise à s'installer, après 45, en Allemagne de l'Ouest. Elle a construit à Mayence en 1952 une nouvelle usine centrale, dont dépendent de nombreuses filiales en Allemagne et à l'étranger. Sa production comprend des verres spéciaux pour l'optique, la chimie, la médecine, la pharmacie, l'électro-technique, la technique nucléaire, des article ménagers et des lampes pour appareils de télévision.

Uhrenfabriken Gebrüder Junghans AG., 723 Schramberg. Die Produktion des 1861 gegründeten Unternehmens, der heute größten Uhrenfabrik des euopäischen Kontinents, umfaßt jährlich mehr als 5 Millionen Uhren aller Art, von der Armbanduhr bis zur Standuhr. Modernste Verfahren, gute Formgebung und hochentwickelte Maschinen sichern einen stetigen Fortschritt.

Founded in 1861, this firm has become the largest manufacturere of time-pieces on the European continent. Today the annual production exceeds 5 millions units, ranging from wrist watches to grandfather clocks. Modern production methods, high-grade machinery and first-class design ensure constant progress.

Cette maison fondée en 1861 est devenue la plus grande fabrique d'horlogerie du continent européen. Sa production comprenant tous genres d'articles d'horlogerie, de la montre à la pendule, dépasse 5 millions d'unités par an. Les procédés les plus modernes, des machines spécialement conçues et des créations peines de bon goût et d'élégance assurent un progrès continuel.

H. Jungheinrich & Co., 2 Hamburg. Die Maschinenfabrik H. Jungheinrich & Co. fertigt seit 1949 Elektro-Transportgeräte und zählt heute zu den bedeutendsten Herstellern der Welt. Das Unternehmen hat sich ausschließlich auf die Produktion von Gabelstaplern und Elektrogeräten spezialisiert. Rund 1150 Mitarbeiter werden beschäftigt.

Since 1949 H. Jungheinrich & Co. have been manufacturing electrical transport machinery and is today one of the most important concerns in the world in this special field. The firm specializes exclusively in fork-lifts and electrical equipment. Employees number approximately 1,150.

La fabrique de machines H. Jungheinrich et Co. construit depuis 1949 des appareils de transport électriques; elle compte parmi les producteurs les plus importants du monde. Elle s'est consacrée exclusivement à la fabrication d'empileuses et d'appareils électriques, dont s'occupent environ 1150 personnes.

Kieler Howaldtswerke AG., 23 Kiel. Das Unternehmen — 1838 gegründet — zählt zu den größten und leistungsfähigsten Werften der Welt. Seit der Ablieferung des ersten Neubaues verließen fast 1200 Schiffe die Werft, nach dem Krieg allein 231 Schiffe mit 3 833 805 tdw. Auf allen Weltmeeren kreuzen die Frachter, Tanker, Bulkcarrier, Walfänger und Fischereifabrikschiffe. Neben dem Neubau von Schiffen werden Schiffsreparaturen durchgeführt, Dieselmotoren, Turbinen, Kessel, Apparate gebaut, weiterhin Industrie-Ausrüstungen und Stahlbauten hergestellt.

Founded in 1838, this shipyard is one of the largest and most efficient in the world. Nearly 1,200 ships have left the yard, 231 of these, with a total displacement of 3,833,805 tons, since the war. Freighters, tankers, bulk-carriers, whalers, and factory-ships sail the seven seas of the world. Besides building ships, the yard carries out repairs, builds diesel engines, turbines, boilers, transmissions, etc., and produces industrial equipment and steel constructions.

Ces chantiers navals, fondés en 1838, comptent parmi les plus importants du monde. Depuis leur premier lancement, ils ont construit près de 1.200 navires, dont, pour la seule période d'après-guerre, 231 d'un tonnage total de 3.833.805 to. Sur les sept mers, on rencontre leurs baleiniers et leurs chalutiers. Les Howaldtwerke réparent également des navires, construisent des moteurs Diesel, des turbines, des chaudières et des appareillages, en même temps qu'elles fabriquent des équipements industriels et des armatures d'acier.

Die Firma **Kinkeldey-Leuchten,** 328 Bad Pyrmont, wurde nach dem Zweiten Weltkrieg gegründet. Das Produktionsprogramm umfaßt Wohnraumleuchten, Kristall-Leuchten und technische Leuchten. Hohe Qualität der Fertigung und eine außergewöhnliche formale Gestaltung begründeten den Ruf der Kinkeldey-Leuchten und machten sie über die Grenzen der Bundesrepublik Deutschland hinaus bekannt.

The firm was established after World War II and produces domestic light fittings, crystal electroliers and technical lighting. The high quality of their products, together with first-rate design have established this firm's reputation both in Germany and abroad.

La firme Kinkeldey-Leuchten n'existe que depuis la dernière guerre. Mais les appareils d'éclairage domestiques ou techniques et les lustres de cristal qu'elle fabrique lui ont déjà valu, de par leur haute qualité et la perfection de leur forme, une réputation qui s'étend à l'étranger.

Klepper-Werke, 82 Rosenheim. Die aus einem Schneiderbetrieb hervorgegangenen Klepper-Werke in Bayern, Österreich und Italien, verdanken ihre breite Entwicklung den Ideen und der Erfindungsgabe Johann Kleppers, der 1907 das erste Faltboot, daneben wetterfeste Sportbekleidung entwickelt hatte. 1919 wurde der Betrieb in eine GmbH überführt. Neben Falt- und Polyester-Booten verschiedenster Art werden Zelte und Kleidung für Sport und Erholung hergestellt.

The Klepper works in Bavaria, Austria and Italy began as a tailor's shop, and owe their wide-spread development to the ideas and inventiveness of Johann Klepper who in 1907 evolved the first collapsible boat, in addition to weatherproof sports clothing. In 1919 the firm became a limited liability company. Besides a wide variety of collapsible and polyester boats, the firm also produces tents and clothing for sport and recreational purposes.

Au départ, un atelier de tailleur; les usines Klepper, qui se sont installées par la suite en Bavière, en Autriche et en Italie doivent leur essor à l'esprit inventif de Johannes Klepper, qui, en 1907, concevait le premier canot pliant en même temps qu'il réalisait les premiers vêtements de sport imperméables. La SARL date de 1919; elle produit, outre des canots pliants et des bateaux en polyester des types les plus divers, des tentes et des vêtements de sport et de loisir.

Knoll International GmbH., Planung — Möbel — Wohntextilien, 7 Stuttgart, sowie in 11 weiteren deutschen Städten. Das Programm umfaßt Einrichtungsgegenstände für den privaten Wohnbereich und für Verwaltungsbauten im weitesten Sinne. Die Einheit von Funktion, Form, Material und Farbe ist entscheidendes Gestaltungsprinzip. Zu den Entwerfern gehören u. a. Mies van der Rohe, Eero Saarinen, Pierre Jeanneret, Harry Bertoia.

Knoll International GmbH, Stuttgart, and in eleven other towns in Germany. Interior decoration, furniture and furnishing fabrics. The production programme embraces all kinds of items needed for the furnishing of office or home. The keynote is harmony of function, form, material and colour. Knoll's designers include Mies van der Rohe, Eero Saarinen, Pierre Jeanneret and Harry Bertoia.

Knoll International Sarl. Planification — Meubles — Tissus d'ameublement. Le programme de la Société comprend des éléments d'ameublement pour le domicile ainsi que pour les bureaux, au sens le plus large du terme. Ce qui préside à leur réalisation, c'est l'unité existant entre fonction, forme, matériel et couleur. Parmi les collaborateurs de Knoll, nous citerons entre autres Mies van der Rohe, Eero Saarinen, Pierre Jeanneret et Harry Bertoia.

Krupp-Ardelt, Zweigniederlassung der Friedrich Krupp, Essen, 294 Wilhelmshaven. Das Unternehmen ist eine anerkannte Kranbauanstalt, deren Lieferungen und Ingenieurleistungen in der Bundesrepublik Deutschland und in vielen europäischen und überseeischen Ländern bekannt sind. Zum Produktionsprogramm gehören: Hafenkrane, Werftkrane, Bordkrane, Schwimmkrane, Verladebrücken, Schiffsbe- und -entlader, Schienen- und Straßenkrane sowie Hüttenwerkskrane und Hilfsmaschinen für den Reaktorbau.

The firm manufactures cranes, and its products are known throughout Western Germany and in many countries in Europe and overseas. The range includes harbour cranes, dockyard cranes, ships' cranes, floating cranes, bridge cranes, cargo loading and unloading gear, mobile cranes (road and rail), foundry cranes and auxiliary machinery for the construction of reactors.

Krupp-Ardelt, filiale de Friedrich Krupp, Essen, 294, Wilhelmshaven, est une fabrique de grues réputée, dont les produits et l'engineering sont connus en Allemagne comme à l'étranger. Elle a à son programme des grues portuaires, des grues pour chantiers navals, des grues de bord, des grues flottantes, des ponts de charge, des dispositifs de charge et de déchargement, des grues sur rail et routières, ainsi que des grues pour usines métallurgiques et des machines auxiliaires pour la construction de réacteurs.

Käthe Kruse Puppen GmbH., 885 Donauwörth. Käthe Kruse schuf die ersten Puppen für ihre Kinder und trat mit ihren Entwürfen 1911 in der Berliner Ausstellung „Spielzeug aus eigener Hand" in die Öffentlichkeit. Der große Erfolg ermutigte sie, nunmehr auch die gewerbliche Herstellung ihrer Puppen aufzunehmen. Bis 1950 erfolgte die Fertigung in Bad Kösen, dann in Donauwörth. Die Puppen Käthe Kruses trugen ihren Namen in alle Welt. Heute wird das Werk von ihrer Tochter Hanne Adler-Kruse geführt, die das Fertigungsprogramm durch zahlreiche neue Entwüfe erweiterte.

Käthe Kruse's first dolls were made for her own children and were seen by the public for the first time at the Berlin exhibition of home-made toys in 1911. The success they had there encouraged her to embark on commercial production which was carried on in Bad Kösen until the firm moved to Donauwörth in 1950. Her dolls have made Käthe Kruse a household name all over the world. The firm is now run by her daughter, Hanne Adler-Kruse, who has added considerably to the range of models.

Käthe Kruse a créé ses premières poupées pour ses propres enfants; elle les présenta pour la première fois en 1911 à l'exposition berlinoise «Jouets fabriqués à la maison». Leurs succès fut si grand qu'elle en entreprit la fabrication industrielle, dont le siège fut à Bad Kösen, avant d'être transféré à Donauwörth en 1950. Les poupées de Käthe Kruse ont rendu leur créatrice célèbre dans le monde entier. Aujourd'hui, l'entreprise est dirigée par la fille de sa fondatrice, Madame Hanne Adler-Kruse, qui a conçu elle-même de nombreuses figurines.

Gebrüder Kühn, 707 Schwäbisch Gmünd. Die Anfänge der Silber- und Metallwarenfabrik Gebrüder Kühn reichen tief in das 19. Jahrhundert zurück. Im Jahr 1860 wurde das Unternehmen von dem Goldschmied Johann Kühn gegründet. Es vererbte sich über mehrere Generationen in der Familie Kühn und wird heute als Kommanditgesellschaft von Werner und Rolf Veit geleitet. Unter ihrem Einfluß wurde besonderes Gewicht auf eine klare Gestaltung der Produktion gelegt. Ergebnis dieser verantwortungsbewußten Bemühungen waren die von Prof. Karl Dittert entwickelten Kühn-Tafelgeräte-m, die hohe internationale Anerkennung zu erringen vermochten.

The origins of the Kühn Brother's silver and metal works reach back into the nineteenth century when the business was founded in 1860 by the goldsmith Johann Kühn. The firm was in the Kühn family for many generations and is now run as a limited partnership by Werner and Rolf Veit. Aware of their responsibilities, the partners paid particular importance to good design, and as a result the table silver designed by Professor Karl Dittert has won international recognition.

La fabrique d'argenterie et de métaux des frères Kühn remonte au XIXème siècle, puisqu'elle a été créée en 1860 par l'orfèvre Johann Kühn. Elle est restée dans la famille pendant des générations; devenue société par commandite, elle est aujourd'hui dirigée par Werner et Rolf Veit, qui tiennent particulièrement au style de leurs produits. Le résultat de ces efforts conscients se voit dans les services Kühn, conçus par le Prof. Karl Dittert, et qui connaissent l'estime internationale.

Ernst Leitz GmbH., 633 Wetzlar. Die Leitz-Werke, Wetzlar, liegen im idyllischen Lahntal. Etwa 6500 Mitarbeiter werden hier beschäftigt. Das 1849 gegründete Unternehmen hat ein breites Produktionsprogramm. Über 60 % aller gefertigten Geräte werden exportiert. Bei Leitz werden hergestellt: Mikroskope und Mikro-Hilfsgeräte modernster Bauart, Kleinbildkameras Leica und Leicaflex, Kleinbildprojektoren, Großraumprojektoren, Ferngläser Trinovid, physikalisch-optische Untersuchungsgeräte sowie optische Feinmeß- und Materialprüfgeräte, — Erzeugnisse, die durch ihren gleichbleibend hohen Qualitätsstandard dem Namen Leitz-Wetzlar Weltgeltung verschafften.

The Leitz Works, Wetzlar, are situated in the idyllic Lahn valley. Staff and workers number about 6.500. The production range of the company, which was founded in 1849, is very wide. More than 60 % of the total production is exported. Leitz manufacture microscopes and microscope accessories of the most modern design, the Leica and Leicaflex 35 mm cameras, miniature and large lecture hall projectors, Trinovid binoculars, physical research instruments based on optical methods, as well as optical precision measuring and material testing instruments — products whose uniformly high standard of quality have earned the House of Leitz a world-wide reputation.

Les Usines Leitz, de Wetzlar, sont situées dans la pittoresque vallée de la Lahn. Six mille cinq cents collaborateurs environ y sont employés. Cette entreprise, fondée en 1849, et dont le programme de fabrication est très vaste, exporte plus de 60 % de sa production. Sont fabriqués chez Leitz: des microscopes et accessoires de microscopie de la conception la plus moderne, les appareils photographiques Leica et Leicaflex, des projecteurs pour le petit format et pour grandes salles, les jumelles Trinovid, des appareils d'examen physico-optiques ainsi que des instruments de mesures de précision et de contrôle des matériaux — tous matériels dont le haut standard de qualité a valu une notoriété mondiale à la marque Leitz.

Hans Liebherr, 795 Biberach/Riß. Mit der Konstruktion des selbstmontierbaren Turmdrehkranes im Jahre 1949 wurde von Hans Liebherr der Grundstein für das weltweite Unternehmen gelegt. Das Baumaschinen-Programm von Liebherr umfaßt: Krane aller Art, Autokrane, Mobilkrane, Hydraulik-Bagger und ein konzentriertes Fertigungsprogramm für die Betonherstellung. Die hohe materialmäßige und konstruktive Qualität aller Geräte findet ihre Abrundung in einer gleichgearteten Form.

In 1949 Hans Liebherr constructed a rotating tower crane which could be assembled on site, and thus laid the foundation of a world-wide concern. Machinery produced by Liebherr for building purposes includes cranes of all kinds, both mobile and self-propelled, hydraulic excavators and concrete-mixers. High quality of material and workmanship is combined with good design.

Lorsqu'il conçut sa première grue pivotante à tour à partir d'éléments assemblables en 1949, Hans Liebherr posa les bases d'une entreprise à l'échelle mondiale. Il fabrique d'innombrables machines: grues de toute espèce, grues sur plate-forme, grues mobiles, pelleteuses hydrauliques, et a un programme systématique pour la préparation du béton. Ses produits ne se contentent pas d'être d'une qualité et d'une finition parfaites; leur forme les accomplit pleinement.

Alex Linder GmbH., 744 Nürtingen. Die 1925 gegründete Büromöbelfabrik konzentrierte ihr Programm auf die Erfordernisse der rationellen Büro-Organisation. Es werden u. a. Förderbandanlagen, Büostahlmöbel und Stahlgeräte und Zusatzgeräte für Lochkarten- und Datenverarbeitungsanlagen hergestellt.

The firm, which was founded in 1925 for the manufacture of office furniture, today produces furniture and equipment to meet the demands of rationalized office organization. The programme includes conveyor belts, steel office furniture and equipment, data-processing machinery, etc.

Une fabrique de meubles, fondée en 1925, qui s'est imposé comme but la rationalisation du bureau. Elle produit entre autres des chaînes de transport, des meubles et des ustensiles en acier, ainsi que des accessoires pour installations mécanographiques et électroniques.

Linhof, Nikolaus Karpf KG., 8 München. Spezialwerk zur Fertigung von großformatigen Kameras. In der fast 80 jährigen Geschichte hat das Unternehmen die Konstruktion moderner, leistungsfähiger Groß- und Mittelformat-Kameras entscheidend beeinflußt. Es besitzt annähernd 100 Auslandsvertretungen.

Specializes in the production of large-scale cameras. In the course of almost 80 years since its foundation the firm has had a decisive influence on the construction of large and medium size cameras. The concern is represented in almost 100 foreign countries.

La maison Linhof fabrique des appareils photo grand format; au cours des 80 années de son histoire, elle a influencé de façon décisive le perfectionnement des appareils professionnels. Elle possède près de 100 représentations à l'étranger.

Linke-Hofmann-Busch, Waggon-Fahrzeug-Maschinen GmbH., 3321 Salzgitter-Watenstedt, führt die Tradition der weltbekannten „Linke-Hofmann-Busch AG., Breslau", deren Gründung auf das Jahr 1839 zurückgeht, fort. Das Lieferprogramm umfaßt: Herstellung von Eisenbahnfahrzeugen jeder Art wie: Triebwagen, E- und Diesel-Lokomotiven, U- und Straßenbahnwagen, Personen-, Post- und Speisewagen, Güterwagen, Kesselwagen und Spezialwagen, Freiform- und Gesenkschmiedestücke sowie Bauteile aus glasfaserverstärktem Kunststoff. Eine eigene Versuchs- und Entwicklungsabteilung bietet Gewähr für die Anwendung neuester Erkenntnisse bei der Erstellung neuer Konstruktionen.

Linke-Hofmann-Busch, Salzgitter-Watenstedt, carries on the tradition of the world-famous Linke-Hofmann-Busch AG of Breslau which dates back to 1839. The programme covers the construction of all forms of railway rolling stock such as automotive passenger vehicles, electric and diesel locomotives, underground railway stock, trams, passenger coaches, postal coaches, dining cars, goods trucks, tank-wagons and specialized wagons, as well as hammer and drop-forgings and construction parts of glass-fibre-reinforced plastic. The firm's own research and development department ensures that the most modern techniques are used in all new constructions.

Cette entreprise a repris la tradition de la célèbre SA «Linke-Hofmann-Busch AG, Breslau», dont les premiers pas remontaient à 1839. Son programme embrasse les véhicules ferroviaires de toute espèce: motrices, locomotives électriques et diesel, wagons de voyageurs, wagons postaux et wagons-restaurants, wagons de marchandises, wagons-citernes et wagons spéciaux, pièces forgées avec et sans matrice, éléments en matière plastique renforcée de fibres de verre. Le service d'études et de recherches propre à la firme garantit l'utilisation des techniques et des procédés les plus modernes.

Lübke KG., 484 Rheda/Westfalen, 1921 gegründet, Hersteller von Tischen, Stühlen, Polstermöbeln und Objekteinrichtungen in Holz, Aluminium und Stahlrohr. Mit dem Industriedesigner Ernst Moeckl wurde erstmals ein komplettes Sitzmöbelprogramm in Aluminium entwickelt. Grundlage der Idee: Verbindungselemente, die dieses Programm äußerst variabel machen. Vom Einzelsessel über Sessel-Tisch-Sessel-Kombinationen werden der Raumgestaltung völlig neue Möglichkeiten erschlossen.

Established in 1921, this firm manufactures tables, chairs, upholstered furniture and other articles, using wood, aluminium and tubular steel. The industrial designer Ernst Moeckl developed the first complete series of furniture for sitting. Aluminium featured in this programme based on the concept of different elements to be combined in various ways, ranging from one single chair to chair-table-chair combinations. This idea created completely new possibilities for interior decoration.

Lübke KG., fondé en 1921, fabricant de tables, chaises, meubles capitonnés et ensembles en bois, aluminium et tubes d'acier. Cette entreprise a mis au point, avec le concours du styliste industriel Ernst Moeckl, un premier programme complet de sièges en aluminium, basé sur l'emploi d'éléments de liaison qui permettent toutes les variations. La décoration d'intérieur se voit ainsi ouvrir de nouveaux domaines, car le fauteuil «en soi» peut faire place à une combinaison fauteuil-table-fauteuil.

Otto Maier Verlag, 798 Ravensburg. Der 1883 in Ravensburg gegründete Verlag baute in konsequenter Arbeit das größte Sortiment an ideenreichen Gesellschafts- und Beschäftigungsspielen in Europa auf. Neben der umfangreichen Produktion Ravensburger Spiele hat auch das weitgespannte Buchprogramm des Otto Maier Verlages — Bilderbücher, Taschenbücher, Werk- und Kunsttechnische Handbücher, Fachbücher für Grafik, Architektur und Industrie — weltweite Anerkennung gefunden.

Established in Ravensburg in 1883, this publishing firm built up by consistent work the widest range of original games, hobbies, puzzles, etc. in Europe. Besides the countless well-known Ravensburger games, the firm is widely known all over the world for its production of picture-books, pocket editions, technical manuals, and specialized publications on the graphic arts, architecture and industry.

Cette maison d'édition, fondée en 1883 à Ravensburg, a su mettre au point de façon conséquente un programme de jeux éducatifs et de jeux de société qui n'a pas son égal en Europe. Outre cette production, les éditions ont également un catalogue très important et partout apprécié: albums d'images, livres de poche, ouvrages techniques, manuels pour le graphisme, l'architecture et l'industrie.

M.A.N. Maschinenfabrik Augsburg-Nürnberg Aktiengesellschaft. 1965 konnte die M.A.N. auf 125 Jahre schöpferische Ingenieurarbeit zurückschauen. Einzelleistungen aus der Vergangenheit ihrer Werke im Maschinenbau, Stahlbau und Fahrzeugbau sind Marksteine in der Geschichte der Technik geworden. Heute gehört die M.A.N. mit ihrem vielseitigen Bauprogramm zu den bedeutendsten Maschinenfabriken der Bundesrepublik. Sie baut in fünf Werken und mehreren Tochtergesellschaften u. a. Dieselmotoren und Druckmaschinen, Schienen- und Straßenfahrzeuge, Dampfturbinen, Dampfkessel, schlüsselfertige Kraftwerke, Kernkraftanlagen, Krane und Fördermittel, lufttechnische Anlagen, Stahlbauten, Brücken, Wehre, Pumpen, Apparate und Behälter, Strahltriebwerke für die Luftfahrt.

In 1965 M.A.N. could look back over 125 years of creative engineering during which individual production in machinery, steel construction and vehicles have become milestones in the history of technology. Today, in the diversity of its producion, M.A.N. ranks among the most important engineering concerns in the German Federal Republic. Its five factories and numerous subsidiaries produce, among other things, diesel engines, printing presses, road and rail vehicles, steam turbines, boilers, complete power stations, nuclear power units, cranes and conveyors, aeronautical installations, steel constructions, bridges, dams pumps, tools, containers, and jet engines for aircraft.

En 1965, la M.A.N. a pu célébrer son 125ème anniversaire, commémorant ainsi une période de besogne créatrice. Certaines de ses réalisations passées — machines, construction en acier, véhicules — sont entrées dans l'histoire de la technique. Aujourd'hui, la M.A.N., dont le programme de fabrication est des plus divers, est une des fabriques de machines les plus importantes d'Allemagne. Ses cinq usines et de nombreuses filiales construisent entre autres des moteurs Diesel et des presses typographiques, des véhicules routiers et ferroviaires, des turbines et des chaudières à vapeur, des centrales toutes prêtes à fonctionner, des installations nucléaires, des grues et des transporteurs, des installations de conditionnement d'air, des charpentes en acier, des ponts, digues, pompes, appareils et citernes et des réacteurs pour l'aéronautique.

Hannes Marker Sicherheits-Skibindungen GmbH., 81 Garmisch-Partenkirchen. Hannes Marker erfand 1949 die erste markterobernde europäische Sicherheits-Skibindung. Inzwischen ist aus dem 1952 gegründeten Ein-Mann-Betrieb ein Unternehmen mit Weltruf geworden. Marker-Sicherheits-Skibindungen werden in 35 Länder exportiert. Bei den Olympischen Winterspielen 1964 in Innsbruck fuhren 75% der alpinen Skirennläufer die doppelgelenkige Marker-Simplex.

In 1949 Hannes Marker invented the first European safety ski-binding to capture the market. Since then the one-man firm founded in 1952 has become world-famous and Marker bindings are exported to 35 countries. At the winter Olympics at Innsbruck in 1964 75% of the alpine skiers used the Marker-Simplex binding.

Hannes Marker inventa en 1949 la première fixation de sécurité pour ski qui ait réussi à conquérir le marché européen. L'entreprise qu'il créait en 1952, et dont il était à la fois patron et unique employé possède aujourd'hui une réputation mondiale; les fixations Marker sont exportées dans 35 pays différents. Lors des Jeux Olympiques d'hiver de 1964, à Innsbruck, 75% des concurrents utilisaient les fixations Marker Simplex à double articulation.

Carl Martin, 565 Solingen-Höhscheid. Das 1916 in Solingen gegründete Unternehmen zählt innerhalb Deutschland zu den führenden Firmen, die zahnärztliche Instrumente herstellen. Vertretungen befinden sich in fast allen Ländern der Welt.

Founded in 1916, Carl Martin ranks among the leading manufacturers of dental instruments in Germany. The firm is represented in almost every country in the world.

Cette entreprise, fondée à Solingen en 1916, compte en Allemagne parmi les plus importantes fabriques d'instruments dentaires. Elle a des représentations dans presque tous les pays du monde.

Maschinenfabrik Eßlingen, 73 Eßlingen. Das Unternehmen wurde 1846 gegründet und vergrößerte sich im Lauf des 19. Jahrhunderts durch den Kauf mehrerer anderer Werke, die 1911/12 in Eßlingen-Mettingen zusammengefaßt worden sind. 1920 erfolgte der Anschluß an den Konzern der Gutehoffnungshütte, 1965 erwarb die Daimler-Benz AG. die Mehrheit der Aktienanteile. Bis Mitte der achtziger Jahre hatte sich die Fabrik vorwiegend mit dem Bau von Eisenbahnfahrzeugen und Brücken befaßt, heute ist das Unternehmen eine vielseitige Maschinenfabrik von Weltruf, deren Abteilung Fahrzeugbau mit Schwerlast- und Hubfahrzeugen bis 50 t Tragkraft einen wichtigen Produktionszweig darstellt.

Founded in 1846, this firm expanded by acquiring other works which were established together at Eßlingen-Mettingen in the years 1911—12. In 1920 it joined the Gutehoffnungshütte concern, and in 1965 Daimler-Benz AG acquired a majority holding. Up to the middle eighties the firm was mainly concerned with building bridges and railway rolling stock, but today it is a world-famous engineering firm with multiple interests. An important production branch is the manufacture of heavy commercial and lift vehicles for up to 50-ton loads.

D'une fabrique fondée en 1846 est sortie une entreprise agrandie au cours de XIXème siècle par l'achat de diverses usines réunies en 1911/12 à Eßlingen-Mettingen. En 1920, l'ennsemble s'associait au consortium de la Gutehoffnungshütte, jusqu'à ce que la Daimler-Benz SA acquière en 1965 la majorité des parts de la Société. Jusque vers 1875, celle-ci s'était surtout consacrée à la construction des ponts et des véhicules ferroviaires; aujourd'hui, elle est devenue une fabrique de machines à la réputation diverse et internationale. La construction de véhicules, parmi lesquels des transporteurs et des élévateurs d'une puissance allant jusqu'à 50 t., est une de ses activités les plus importantes.

Melitta-Werke Bentz & Sohn, 495 Minden/Westfalen. Melitta-Porzellan, ein neuer Akzent auf gutem, altem Firmenruf. Seit über 50 Jahren genießen die Melitta-Werke, Minden (7000 Beschäftigte), durch ihre Kaffeefilter Weltruf. In 81 Länder geht der Export. Seit einem Jahrzehnt ist das Unternehmen dabei, sich dank einer glücklichen Hand für Formgebung und durch Pflege des Qualitätsbewußtseins auch als Porzelliner einen guten Namen zu machen. Nur das — und nicht etwa das sogenannte Wirtschaftswunder — hat es zuwege gebracht, daß Melitta in diesem Industriezweig in mehreren modernen Werken bereits über 2000 Menschen beschäftigt.

Melitta china adds a new note to the firm's long-standing reputation. For more than 50 years Melitta coffee filters have brought the Minden factory and its 7000 employees world-wide recognition. Exports are sent to 81 different countries. The firm has made a name as manufacturer of china goods in general over the past 10 years, largely due to its flair for design and conscientious concern for quality. Melitta now employs more than 2000 workers in several factories.

Porcelaine Melitta — un nouveau slogan soulignant une réputation ancienne. Depuis plus de 50 ans, les filtres à café des usines Melitta, qui emploient 7.000 personnes à Minden, sont partout connus; leur exportation s'étend en effet à 81 pays. Depuis une décennie, la maison a entrepris de se faire un nom parmi les fabricants de porcelaine; elle y est parvenue grâce à un gens heureux de la forme et à son désir de qualité. On ne peut rapporter la cause de cet esser au «miracle économique»; c'est à son souci du niveau que Melitta doit d'avoir créé plusieurs usines modernes qui comptent plus de 2.000 ouvriers.

MERO — Dr. Ing. M. Mengeringhausen, 87 Würzburg. Seit 1941 in eigener Betriebsstätte (Berlin) systematische Auswertung der von Dr. Ing. M. Mengeringhausen begründeten MERO-Bauweise in Form des 1940 entdeckten Trigonalsystems, als erstes in der Welt industriell hergestelltes Baukasten-System für Raumtragwerke aus Normknoten und Normstäben mit einheitlichen Querschnitts- und Längenmaßen. Seit 1948 Fertigungsbetrieb in Würzburg zur Herstellung schlüsselfertiger Hallen, Pavillons, Einkaufszentren, Schul- und Hörsaalbauten, Gerüsten, Messeständen; ferner Doppelböden für Rechenzentren, Fertiginstallation und Mengering-Doppeldichtung für Abflußrohre.

Since 1941 the firm has used the MERO construction method developed by Dr. Mengeringhausen on the basis of the trigonal system invented by him in 1940 in its own factory in Berlin. The MERO method is the first commercial-scale "building-box" system for the construction of supporting elements from standard joints and standard members of uniform cross-section and length. Since 1948 the assembly plant in Würzburg has produced finished halls, pavilions, shopping centres, lecture-rooms, class-rooms, platforms, exhibition stands, etc.

Depuis 1941, la société applique systématiquement dans ses ateliers de Berlin les procédés de construction trigonale inventés en 1940 par le Dr. Ing. M. Mengeringhausen. Il s'agit du premier système industrialisé qui ait été réalisé au monde avec des éléments standardisés pour charpentes, de section et de longueur unifiées. Depuis 1948, ateliers de construction à Wurzbourg pour la fabrication de halls, de pavillons, de centres commerciaux, de classes et de salles de cours, d'échafaudages et de stands de foire préfabriqués; en outre, production de planchers doubles pour centres de calcul, d'installations terminées et de joints doubles Mengering pour tuyaux d'écoulement.

Metz Apparatewerke, 851 Fürth/Bayern. Das 1938 gegründete Unternehmen fertigt Fernsehgeräte, HiFi-Stereo-Anlagen, Elektronenblitzgeräte und Funk-Fernsteuer-Anlagen für den Modellsport. Neben hochwertiger Technik zeichnet sich das gesamte Herstellungsprogramm durch seine moderne Formgebung bei allen Geräten besonders aus.

Established 1938, this firm manufactures television sets, HiFi stereophonique equipment, electronic flashlamps and radio-circuit remote control sets for model sports. The whole range of products is distinguished not only by the high level of engineering but also by modern design.

Cette entreprise fondée en 1938 fabrique des appareils de télévision, des installations stéréophoniques à haute fidélité, des flashs électroniques et des installations de télécommande pour modèles réduits. Certes, Metz est à la pointe du progrès technique; mais la forme de tous ses appareils est d'un modernisme séduisant.

Minox GmbH., 63 Gießen. Die 1945 gegründete Firma stellt vor allem die weltbekannte Minox-Kleinstkamera her einschließlich allem dazu notwendigen Zubehör. Eine große Auslandsorganisation mit eigenen Vertretungen bildet die Voraussetzung umfangreicher internationaler Verbindungen.

Founded in 1945, the firm concentrates on the production of the world-famous Minox miniature camera and the relevant accessories. Minox cameras are exported all over the world through a highly-organized international sales network.

Bien que n'existant que depuis 1945, cette firme possède déjà une réputation mondiale, fondée avant tout sur l'appareil miniature qu'elle produit avec tous ses accessoires. Une large organisation à l'étranger, possèdant ses propres représentations, assure les conditions préalables à la création de relations internationales.

Moco Barometerfabrik, Möller, Oehmichen & Co., 2 Hamburg. Die Firma wurde 1877 von Herrn Möller in Hamburg gegründet, später von den Herren Oehmichen und Samtleben übernommen und 1953 in eine Kommanditgesellschaft der Familie Samtleben überführt. Hergestellt werden Barometer, Thermometer und Hygrometer, die vor allem für den Gebrauch im Haushalt bestimmt sind. Seit 1959 wird besonderes Gewicht auf die gute Gestaltung der Erzeugnisse gelegt. Ihre klare Form fand bei dem Käufer ebenso wie bei internationalen Ausstellungen wachsende Anerkennung.

The firm was founded in 1877 by Mr. Möller, was later taken over by Messrs. Oehmichen and Samtleben and became a limited partnership in the Samtleben family in 1953. The firm produces barometers, thermometers and hygrometers mainly for household use. Since

1959 special attention has been given to design, and the clear-cut lines of the instruments have won growing recognition among buyers as well as at international exhibitions.

L'entreprise, créée en 1877 par M. Möller, à été ensuite reprise par M. M. Oehmichen et Samtleben avant d'être transformée, en 1953, en une société par commandite de la famille Samtleben. Elle fabrique des baromètres, des thermomètres et des hygromètres essentiellement destinés à l'usage domestique. Depuis 1959, elle attache une valeur particulière au style de ses produits. La forme sobre de ceux-ci leur a valu une faveur croissante, tant chez l'acheteur que dans les expositions internationales.

Josef Neuberger, 8 München. Die 1904 gegründete Firma ist als Hersteller elektrischer Meßgeräte in vielen Ländern bekannt und bereits mehrfach mit neuen Instrumentenformen hervorgetreten. Die Type RK ist als erstes deutsches Meßinstrument nach ästhetischen und praktischen Gesichtspunkten gestaltet und findet deshalb in der Fachwelt besondere Beachtung.

Established in 1904, this firm is well known in many countries as the manufacturer of electricity meters and has already developed several new designs. Type RK ist the first German model to be designed with both aesthetic and practical considerations in mind and has earned the recognition of experts.

Cette entreprise, fondée en 1904, s'est fait un nom en maint pays par sa production d'instruments de mesure électriques; il lui est fréquemment arrivé de lancer de nouveaux types sur le marché. Son appareil RK est le premier instrument de mesure allemand qui obéisse aussi bien à des considérations esthétiques que techniques; de là l'accueil qui lui a été fait dans les milieux spécialisés.

Niezoldi & Krämer GmbH., 8 München. Die Firma wurde 1926 als Hersteller von Amateurfilmgeräten mit dem Markenzeichen «Nizo» in München gegründet. Unter den Entwicklungen der Vorkriegsjahre war die erste europäische 8-mm-Kamera mit Federwerk. 1962 wurde die Firma eine Tochtergesellschaft der Braun AG. Braun Designer sind seither für die Formgestaltung der Nizo Erzeugnisse verantwortlich.

Niezoldi & Kramer GmbH was founded in Munich in 1926 for the manufacture of amateur film equipment with the trade mark «Nizo». The first European 8-mm camera with spring mechanism was developed in the years before the war. In 1962 the firm became a subsidiary of the Braun AG, since when Braun designers have been responsible for Nizo products.

La firme Niezoldi et Krämer a été créée en 1926 à Munich pour fabriquer les caméras d'amateur de marque Nizo. Dès avant la guerre, elle lançait sur le marché européen la première caméra à ressort. Devenue en 1962 filiale de la SA Braun, Nizo voit son programme préparé par les stylistes de la maison-mère.

Olympia Werke AG., 2940 Wilhelmshaven. Die Olympia Werke — 1903 gegründet — sind die größte Büromaschinenfabrik Deutschlands; in den Werken Wilhelmshaven, Leer und Braunschweig sind annähernd 15 000 Mitarbeiter tätig. Mehr als die Hälfte aller in der Bundesrepublik hergestellten Schreib-, Rechen- und Saldiermaschinen tragen den Namen „Olympia"; 60% von ihnen werden in über 100 Länder der Erde exportiert. Das Lieferprogramm umfaßt außerdem Schreibautomaten, Diktiergeräte, Trockenkopiergeräte, Buchungsautomaten und Geräte für die Datentechnik.

Established in 1903, the Olympia works are the largest producers of office machinery in Germany. The factories in Wilhelmhaven, Leer and Brunswick employ some 15,000 workers. More than half the typewriters, adding and accounting machines made in Western Germany bear the name Olympia, and 60% of the total production is exported to more than 100 countries. The firm also produces teleprinters, dictaphones, dry-copying machines, book-keeping machines, and data-processing machinery.

Les usines Olympia, fondées en 1903, sont les plus importantes d'Allemagne dans le domaine des machines de bureau; elles emploient à Wilhelmshaven, Leer et Brunswick environ 15.000 personnes. Plus de la moitié des machines à écrire, à compter et à facturer qui sont produites dans la République Fédérale portent le nom d'Olympia: 60% d'entre elles sont exportées dans plus de 100 pays différents. Il vient s'y ajouter des machines automatiques, des dictaphones, des appareils à photocopier, des factureuses automatiques et des computers.

G. M. Pfaff AG., 75 Karlsruhe-Durlach. 1862 baute der Handwerker Georg Michael Pfaff seine erste Nähmaschine. Heute reicht das breite Produktionsprogramm der größten Nähmaschinenfabrik auf dem europäischen Kontinent von der einfachen Haushaltnähmaschine über die Handwerker-, Industrie- und Spezialmaschinen, Nähautomaten, Schnellnäher bis zur vollautomatischen Nähtransferstraße. Die klare Form der Pfaff Nähmaschinen entspricht dem sachlichen Stil der Gegenwart.

Georg Michael Pfaff constructed his first sewing-machine in 1862. Today the wide range of products of the largest sewing-machine factory in continental Europe covers everything from simple household sewing-machines, professional, industrial and special purpose machines, automatic and high-speed machines to fully automatic production lines for clothing factories. Pfaff sewing-machines have the clean lines of contemporary practical styling.

Un artisan du nom de Georg Michael Pfaff construisait en 1862 sa première machine à coudre. Sa petite entreprise est devenue la plus importante usine du continent dans ce domaine; elle produit toujours des machines de ménage, mais aussi tous les types de machines artisanales, industrielles ou spéciales, de machines automatiques et de chaînes automatisées. La forme sobre des machines Pfaff correspond au goût concret de notre époque.

Wälzfräsmaschinenfabrik Hermann Pfauter, gegr. 1900 – heutiger Sitz Ludwigsburg/Württ. Auf dem Pionierpatent des Gründers beruhend, hat die Pfauter-Maschine seit 65 Jahren Weltgeltung. Ebenso wie ihre ursprüngliche Bauart war auch die neue Gestaltung der P-Typen richtungsweisend. Zusatzeinrichtungen, auch elektronische Steuerungen, erweitern den Anwendungsbereich noch ständig.

This firm, established in 1900, is now in Ludwigsburg, Württemberg. Pfauter gear-hobbing machines, based on the original patent of the firm's founder, have had a world-wide reputation for 65 years. The new P-type model has made as important a contribution to this field of engineering as the original construction. The utilization potential of the machine is constantly increased by the addition of new devices, including electronic control.

Fondée en 1900, l'entreprise a aujourd'hui son siège à Ludwigsbourg (Wurtemberg). La machine Pfauter, qui doit beaucoup au brevet génial du fondateur, a acquis depuis 65 ans une réputation universelle. Sa structure originale était aussi frappante que la nouvelle réalisation des types P. Des installations annexes – commandes électroniques, par exemple – ne cessent d'accroître son domaine d'application.

Pohlschröder & Co. KG., 46 Dortmund. 1855 wurde die Firma als Geldschrank-Fabrik von Friedrich Pohlschröder gegründet. Heute ist sie einer der führenden Hersteller funktionsgerechter Büroeinrichtungen von hohem formalen Niveau. An deren Entwicklung arbeiten bekannte Formgestalter, erfahrene Organisatoren und geschulte Ingenieure. Das Herstellungsprogramm umfaßt ferner Lager- und Betriebseinrichtungen sowie Sicherheitseinrichtungen.

Friedrich Pohlschröder founded the firm in 1855 for the manufacture of safes. Today it is one of the leading manufacturers of well-designed functional office machinery, drawing on the talents of many well-known designers, experienced organizers and trained engineers. As well as security installations the firm also produces factory and warehouse equipment.

En 1855, Friedrich Pohlschröder fondait une fabrique de coffres-forts, qui est aujourd'hui devenue une des maison les plus en vue dans le domaine du mobilier de bureau esthétique et fonctionnel. Elle s'est assurée le concours de stylistes connus, d'organisateurs expérimentés et d'ingénieurs qualifiés. En outre, la firme produit des installations pour magasins et bureaux, ainsi que des dispositifs de sûreté.

Die **Dr.-Ing. h. c. F. Porsche KG.,** 7 Stuttgart-Zuffenhausen, wurde 1949 von Professor Porsche, dessen Verdienste um den Automobilbau unvergessen sind, gegründet. Das Unternehmen, das heute von seinem Sohn, Dr. Ferdinand Porsche, geleitet wird, erwarb sich in kurzer Zeit Weltruf durch den Bau sportlicher, exklusiver Hochleistungsfahrzeuge sowie durch bedeutende Konstruktionen auf automobiltechnischem Gebiet und große Erfolge im internationalen Motorsport.

The Dr.-Ing. h. c. F. Porsche KG., 7 Stuttgart-Zuffenhausen was founded in 1949 by Prof Porsche whose services to automobile construction are not forgotten. The Porsche concern, directed today by his son, Dr Ferdinand Porsche, very soon gained a world-wide reputation by constructing exclusive high-power sports cars, as well as by its important contributions to automobile construction in general and its repeated success in international motor racing.

Le célèbre Prof. F. Porsche, dont on sait les mérites qu'il s'est acquis au service de l'automobile, a créé en 1949 à Stutgart-Zuffenhausen la société qui porte son nom. L'entreprise, aujourd'hui dirigée par le Dr. Ferdinand Porsche, fils du fondateur, doit sa réputation mondiale à la construction de voitures de sport aux performances prestigieuses, à des innovations remarquables en technique automobile et à ses succès dans nombre de courses ou de rallyes.

Porzellanfabrik Arzberg, 8594 Arzberg/Oberfranken. Das 1888 gegründete Unternehmen stellt Gebrauchsgeschirre für den Kaffee-, Tee- und Eßtisch her sowie Vasen in schlichten, edlen Formen. 1931 wurden mit den von Dr. H. Gretsch entwickelten Geschirren die Bemühungen um klare Industrieformen eingeleitet. In zwei Jahrzehnten wurde die gesamte Fertigung auf diese Linie ausgerichtet. Das Werk hat sich damit die Pflege von zeitgemäßen und zweckentsprechenden Geschirrformen zur besonderen Aufgabe gemacht.

The firm was established in 1888, and manufactures tea, coffee and dinner services, as well as vases noted for their simplicity and nobility of line. The china which Dr. H. Gretsch began to design in 1931 reflected the trend toward better, more clear-cut designs in industry. Within two decades the entire production has come to follow this line; the firm concentrates on the manufacture of well-designed and practical contemporary table-ware.

Cette firme, fondée en 1888, se consacre à la fabrication de services à thé, à café et de services de table; elle produit également des vases de forme simple et distinguée. Les modèles conçus à partir de 1931 par le Dr. H. Gretsch inaugurèrent une tendance à la clarté des formes industrielles, qui, en deux décennies, marqua tout le programme d'Arzberg. C'est assez dire combien le sens du moderne et du fonctionnel est une des tâches primordiales de la firme.

Porzellanfabriken Lorenz Hutschenreuther AG., 8672 Selb/Oberfranken. Lorenz Hutschenreuther errichtete 1857 die erste Porzellanfabrik in Selb. Das Unternehmen umfaßt 4 Werke. Es werden qualitativ hochwertige Porzellane — Haushaltservice und Hotelgeschirre in traditionellen und modernen Formen — hergestellt. Mit „Novum 65" — das erste rationelle Kombinationsgeschirr für den Haushalt — hat das Unternehmen einen richtungweisenden Beitrag auf dem Gebiet der gebrauchsrichtigen Porzellanformgebung geleistet.

Lorenz Hutschenreuther established the first china factory in Selb in 1857. The firm now has four factories producing household and hotel crockery in traditional and modern designs. With their "Novum 65", the first really practical all-purpose service for household use, the firm broke new ground in the field of functional design.

C'est à Lorenz Hutschenreuther que Selb dut, en 1857, sa première fabrique de porcelaine; celle-ci possède maintenant 4 usines. On y produit d'excellentes porcelaines- services et vaisselle d'hôtel — dans des styles divers: tradition ou modernisme. Son «Novum 65» — la première série rationnelle conçue pour le ménage — est, de la part de cette maison ancienne, une éminente contribution à l'art de la forme.

Die **Porzellanfabrik Schönwald,** 8671 Schönwald/Ofr., wurde 1879 gegründet. Hergestellt werden Hotel- und Haushaltporzellan. Die Produktion von Hotelporzellan nimmt den Hauptteil ein, so daß Schönwald zu einer der bedeutendsten Spezialfabriken für Hotelporzellan wurde. Alle Geschirre, ob für Hotel oder Haushalt, sind völlig auf praktische Brauchbarkeit ausgerichtet: sie sind in klarer, zeitlos schöner Linie gestaltet.

The firm was established in 1879 and produces hotel and household crockery. Hotel ware takes up most of the production, Schönwald having become one of the most important factories specializing in this line. The keynote of both its hotel and household ware is practical utility combined with simple timeless design.

La Fabrique de Porcelaine de Schönwald a été fondée en Haute-Franconie en 1879. Elle fabrique de la vaisselle pour ménages et hôtels, mais met l'accent sur la seconde production qui en a fait un des plus importants fournisseurs de l'hôtellerie. Toutes les pièces, à quelqu'usage qu'elles soient destinées, visent à l'utilité pratique — ce qui n'empêche pas leur ligne d'être claire et d'une élegance indépendante de la mode.

Porzellanfabrik Weiden, 8480 Weiden/Oberpfalz. Bauscher wurde 1881 als erste Spezialfabrik für Hotelporzellan gegründet. Seither werden alle in der Gastronomie benötigten Geschirrarten, feuerfestes und technisches Porzellan gefertigt. Weltbekannte Bauscher-Merkmale sind unübertroffene Bruchfestigkeit, Glasurhärte, besonders haltbare Dekore und die vorbildliche Verbindung von Zweck und guter Form. 1960 wurde mit den Serien System B 1100 und „Rustika herdfest" eine neue Entwicklung auf dem Gebiet der Hotelgeschirre eingeleitet. Diese Serien stellen einen wesentlichen Beitrag zur zeitgemäßen Geschirrgestaltung dar.

The firm of Bauscher was established in 1881, the first factory to specialize in hotel crockery. Since then it has been producing china goods of all kinds for the hotel and restaurant trades, including fireproof ware and special pottery articles. Bauscher ware is world-renowned for its unsurpassed resistance to breakage, hardness of glaze and durability of pattern, as well as for its exemplary combination of functional utility and good design. The introduction of the series "System B 1100" and "Rustika" ovenware in 1960 signified a new development in hotel ware. Both these series represent a significant contribution to modern design.

Cette entreprise a été fondée sous le nom de Bauscher en 1881 pour fabriquer de la vaisselle d'hôtel- c'était la première maison spécialisée du genre — Depuis, elle est restée au service de l'industrie hôtelière, lui livrant toutes les pièces dont elle a besoin, de la porcelaine technique à celle qui va au feu. Bauscher possède des qualités connues par le monde entier: solidité à toute épreuve, dureté du vernis, décoration particulièrement stable et combinaison réussie entre fonction et forme. En 1960, deux séries — System B 1100 et «Rustika herdfest» ont introduit une nouvelle ère dans leur domaine. Elles ont largement contribué au stylisme moderne de la vaisselle.

C. Hugo Pott, 565 Solingen. Das Unternehmen wurde 1904 gegründet und ist noch heute im Familienbesitz. Herstellung: Bestecke und Tischgeräte in Massivsilber, versilbert und 18/8 Chromnickelstahl. Die Erzeugnisse reichen von der modernen Ausführung bis zum Gebrauchswert des täglichen Bedarfs und zeigen in der Linienführung die Hand des vorausdenkenden Künstlers. Viele Internationale Prämiierungen sind die Anerkennung für mutige Formgestaltung.

The firm was established in 1904 and is still in the family today. It manufactures cutlery and tableware in solid silver, plate, and 18/8 nickel chrome steel, all of which show not only the masterly hand of a forward-looking artist in their modern design but also the practical qualitites necessary for daily use. The firm has been awarded many international prizes for its bold designs.

L'entreprise, fondée en 1904, est restée propriété familiale. Elle fabrique des couverts et des ustensiles ménagers en argent massif, en plaqué et en acier au chrome-nickel 18/8; dans son catalogue, on trouve aussi bien des formes très modernes que des lignes tout à fait quotidiennes; mais les unes et les autres révélent une conception artistique préalable. Nombre de distinctions internationales sont venues consacrer ce courage.

Die **Carl Prinz AG.,** gegründet 1912, stellt im Stammwerk Solingen-Wald anspruchsvolle Tafelbestecke und im Werk Langenfeld hochwertiges — vor allem spezialglasiertes — Stahlgeschirr her. Die Geschirrserie aus Edelstahl „rostfrei 18/8" wurde wegen ihrer vorbildlichen Form bereits mehrmals ausgezeichnet. Ihr besonderes Merkmal: Der Prinz-Isothermboden und die international anerkannte Qualität.

The firm was established in 1912, produces fine cutlery in its main plant at Solingen-Wald and high grade, high-finish stainless steel ware in its Langenfeld works. The stainless steel series "rostfrei 18/8" has already been awarded several prizes for its excellent design. Particular features are the Prinz isothermal base and the internationally recognized quality.

La SA Carl Prinz, fondée en 1912, fabrique dans sa maison- mère de Solingen-Wald des couverts de grande classe, et dans son usine de Langenfeld des ustensiles d'acier d'une qualité également élevée — en particulier en métal à vernis spécial. La série «rostfrei 18/8» a dû à sa forme exemplaire mainte distinction. Ses caractéristiques particulières: le fond isotherme Prinz et une valeur appréciée partout.

1906 wurde die **Quarzlampen-Gesellschaft mbH.** in 645 Hanau gegründet und hier die erste brauchbare UV-Bestrahlungslampe der Welt mit dem von Dr. Küch kurz vorher erfundenen Quarzbrenner gebaut. Der geschützte Name HÖHENSONNE für UV-Bestrahlungsgeräte wurde zur Weltmarke. Heimsonnen Original Hanau sind in Form und Farbe gut gestaltet und leistungsstark. Außer den klassischen Modellen liefert Original Hanau neue HA-FI-Geräte mit patentiertem Filter. Diese Filter gestatten wahlweise Bestrahlungen zum prophylaktischen oder kosmetischen Gebrauch bei individueller Abstimmung auf den jeweiligen Hauttyp. Auf dem Gebiet der Operationsfeldbeleuchtung ist die Quarzlampen Gesellschaft ebenfalls führend. Zum Programm der Quarzlampen Gesellschaft gehören auch zahlreiche technische Geräte, wie Lichtechtheits- und Wetterechtheitsprüfgeräte Xenotest, Laborfärbeapparat Praxitest, Waschechtheitsprüfgerät Linitest, Sterisol- und andere UV-Brenner, Labortauchlampen und Spezialeinheiten, wie Deuterium- und Hohlkathodenlampen.

In 1906 Quarzlampen Gesellschaft mbH was founded in Hanau. Production began with the construction of the first practicable UV radiation lamp using the quartz lamp developed shortly before by Dr Küch. The patent name HÖHENSONNE for UV radiation apparatus became a trade mark recognized throughout the world. The Original Hanau lamps for home use are durable as well as attractive in design and colour. In addition to the classic models, Original Hanau produce new HA-FI lamps with patented filters which permit the lamp to be used either for prophylactic or cosmetic purposes as desired; it can be regulated to suit individual skin types. Quarzlampen Gesellschaft is leading also in the field of lighting for operation theatres. Besides the firm produces numerous technical appliances, such as the Xenotest apparatus for testing resistance to light and climatic influences, the Praxitest dyeing apparatus for laboratories, the Linitest apparatus for testing fast dyes, Sterisol and other UV lamps, laboratory immersion lamps and special items such as deuterium and cathode lamps.

Hanau voyait se créer en 1906 la Quarzlampen Gesellschaft mbH; c'est elle qui construisit la première lampe à ultra-violets du monde, en utilisant le brûleur à quartz que le Dr. Küch venait d'inventer. La marque de HÖHENSONNE (soleil d'altitude) déposée par la firme est connue sur tous les continents. Les lampes Original Hanau se distinguent par une forme et une couleur agréables, tout autant que par leur efficacité. L'entreprise ne s'est pas contentée des modèles classiques; Original Hanau produit également des appareils HA-FI avec filtre breveté. Ceux-ci permettent de régler les radiations, qu'elles aient un but prophylactique ou cosmétique selon le type de la peau. Les lampes à quartz de Hanau ne sont guère égalées non plus lorsqu'il s'agit d'éclairer un champ opératoire. A ce programme s'ajoutent de nombreux appareils techniques: le Xenotest, pour contrôler la résistance à la lumière et aux conditions atmosphériques, le Praxitest pour colorer en laboratoire, le Linitest pour éprouver la résistance au lavage, le Stérisol et autres brûleurs à UV, des lampes à immersion pour laboratoires et des types spéciaux, tels les lampes au deutérium ou à cathode creuse.

Reppel & Vollmann, 5893 Kierspe/Westfalen, alleiniger Hersteller von Valon-Geschirr — dessen Name durch Material- und Formqualität in kürzester Zeit Markenartikelgeltung erworben hat, wurde als Spezialfabrik für Haushaltsartikel aus Kunststoffen 1930 gegründet, arbeitete die ersten zwei Jahrzehnte als Kunststoff-Preßwerk, seit 1948 mit modernen Spritzgußmaschinen. Seit 1960, nach einjähriger Vorarbeit, wurde Reppel & Vollmann mit seinen rund 200 Mitarbeitern zum ersten und bedeutendsten Verarbeiter des hochwertigen Bayer-Kunststoffes Makrolon (Polycarbonat) für Haushaltsgeschirr.

Reppel & Vollmann are the sole manufacturers of Valon ware — a name which soon earned a wide reputation. for quality of material and design. The firm was founded in 1930, a factory specializing in household goods made of synthetics, and worked for the first 20 years in moulded plastics. Modern injection moulding machines were introduced in 1948. Since 1960, after one year of preparatory work, Reppel & Vollmann with its 200 employees have been the first and most important firm to process the Bayer synthetic material makrolon (polycarbonat) for household ware.

Reppel et Vollmann, producteur exclusif du Valon, cette vaisselle à qui son matériau et sa forme ont assuré en peu de temps la faveur acquise aux articles de marque. Cette entreprise, qui commença à fabriquer des articles ménagers en matière plastique en 1930, utilisa durant deux décennies le pressage pour adopter en 1948 la technique moderne de moulage par injection. Depuis 1960 — une année d'études préalables fut nécessaire — les deux cents collaborateurs de Reppel et Vollmann se sont assurés la primauté dans la transformation en vaisselle du Makrolon (Polycarbonate), cette matière plastique de haute qualité des Usines Bayer.

Dr. Reutlinger & Söhne, Auswuchtmaschinen- und Meßgerätewerk, 61 Darmstadt. Das Unternehmen wurde 1945 gegründet und stellt elektrodynamische Auswuchtmaschinen und Schwingungsmeßgeräte her. Die Tatsache, daß elektronische Meßgeräte dem Maschinenbauer — also dem Nichtelektroniker — in die Hand gegeben werden müssen, erfordert ein „sprechendes" Layout.

This company, established in 1945 in Darmstadt, manufactures electrodynamic balancing machines and vibration measuring instruments. The fact that electronic measuring instruments will be operated by mecanical engineers requires a "speaking" layout.

Cette firme, fondée en 1945 à Darmstadt, produit des machines à équilibrer électrodynamiques et des appareils de mesure de vibrations. Compte tenu de la nécessité de mettre des appareils électroniques entre les mains des ingénieurs en mécanique, il fallait trouver une conception «parlante» de ces instruments.

Rheinstahl Henschel AG., 35 Kassel. Die 1810 von Georg Christian Karl Henschel gegründete, seit 1964 dem Unternehmerverband der Rheinischen Stahlwerke zugehörige Firma war viele Jahrzehnte vornehmlich eine Lokomotivfabrik. Erst später kam die Herstellung von Schwerlastwagen, Motoren und Straßenwalzen hinzu. Heute ist das Unternehmen auf eine breite Produktionsbasis gestellt. Das Fertigungsprogramm der Maschinenbauanstalt umfaßt Investitionsgüter für die Industrie und das Transportwesen. Die Produktion verteilt sich auf drei räumlich getrennte Betriebe im Stadtgebiet von Kassel.

The firm was founded in 1810 by Georg Christian Karl Henschel and joined the Rheinische Stahlwerke group in 1964. For many years Henschel concentrated almost entirely on the construction of locomotives, later extending the production programme to cover heavy transport vehicles, motors and road-rollers. Today the firm's products cover a wide range, including capital goods for industry and transport. Production is divided among three separate factories in the Kassel area.

Cette entreprise, fondée en 1810 par Georg Christian Karl Henschel, et qui fait partie depuis 1964 de la Fédération des Aciéries Rhénanes, a été surtout pendant des décennies une fabrique de locomotives. La production de camions lourds, de moteurs et de rouleaux compresseurs a suivi, ce qui a permis à l'entreprise de s'assurer un large programme. La construction de machines qu'elle assume comprend des biens d'investition pour l'industrie et les transports; elle est répartie en trois fabriques situées en des points différents de la ville de Cassel.

Rheinstahl Union Brückenbau AG., 46 Dortmund. Das Unternehmen wurde 1854 als Dortmunder Bergbau- und Hüttengesellschaft durch Dortmunder Bürger gegründet, wurde 1926 Tochtergesellschaft der Vereinigten Stahlwerke AG. und 1957 Tochtergesellschaft der Rheinischen Stahlwerke. Das Herstellungsprogramm umfaßt u. a.: Stahlbrücken, Stahlhochstraßen, Stahlhochbauten, Stahlwasserbau, Maschinenteile, Weichen und Kreuzungen, Stahlfenster und -fassaden, Förderanlagen, Hebezeuge (Krane usw.), Behälter und Apparate, Großrohrleitungen, Hochofen- und Kupolofenanlagen, Schweißkonstruktionen, Universalbagger.

Originally founded in 1854 by a group of Dortmund businessmen as the Dortmunder Bergbau- und Hüttengesellschaft, the firm became a subsidiary of the Vereinigte Stahlwerke AG in 1926 and of the Rheinische Stahlwerke in 1957. The production includes steel bridges, steel highways, building and hydraulic structures, machine components, railway points and crossings, steel window-frames and shop-fronts, conveyors, hoisting gear (cranes, etc.), containers and appliances, large-bore piping, blast and cupola furnace equipment, welded constructions, all-purpose mechnaical diggers.

En 1854, une réunion de bourgeois de Dortmund créait la Dortmunder Bergbau- und Hüttengesellschaft (Société des Mines et Fonderies de Dortmund). Celle-ci devint en 1926 une filiale de la SA Vereinigte Stahlwerke, puis, em 1957, des Rheinische Stahlwerke. A son programme, entre autres: ponts et passages supérieurs en acier, charpentes pour immeubles, constructions hydrauliques, pièces de machines, aiguillages et croisements, fenêtres et façades en acier, installations d'extraction et transport, appareils, pipes-lines de grand diamètre, installations pour hauts-fourneaux et cubilots, constructions soudées, pelleteuses universelles.

Optische Werke G. Rodenstock, 8 München. Rodenstock — ein Münchener Unternehmen von Weltruf. Seit 1883 hat dieses Familienunternehmen seinen Sitz in München. Seine Fertigungsstätten gehören zu den größten und modernsten der Branche in Europa. Zweigwerke befinden sich in Ebersberg, Regen, Buenos Aires und Santiago de Chile. Rund 4000 Beschäftigte, darunter ein Stab qualifizierter Wissenschaftler, stellen Qualitätsoptik her, die in über 80 Länder exportiert wird. Das Produktionsprogramm umfaßt: Brillengläser, Brillenfassungen, Theatergläser, Augenuntersuchungs- und Meßgeräte, Foto- und Kino-Objektive, Reproduktionsoptik, rund- und planoptische Teile für viele Sonderzwecke.

Rodenstock is a Munich firm of world renown. This family business has been established in Munich since 1883 and its workshops are reckoned among the largest and most up-to-date in this field in Europe. There are subsidiary works in Ebersberg and Regen in Bavaria, as well as in Buenos Aires and Santiago de Chile. Rodenstock employs some 4,000 people, including a staff of qualified scientists for its production of optical articles which are exported to more than eighty countries. Products include: spectacles (lenses and frames), opera glasses, optical examination and measuring instruments, lenses for still and movie-cameras and projectors, and optical glass for a variety of special purposes.

Rodenstock — une entreprise munichoise au renom mondial. Depuis 1883, cette firme, qui est toujours dans la famille du fondateur, a son siège à Munich. Ses ateliers sont parmi les plus importants et les plus modernes de l'espèce en Europe. De plus, la maison a des filiales à Ebersberg et Regen (Bavière), à Buenos Aires et à Santiago du Chili — 4000 salariés, dont une équipe scientifique remarquable, mettent au point dans ces usines une optique de qualité qui est exportée dans plus de 80 pays. Au programme de production — verres et montures de lunettes, jumelles, appareils de mesure et de contrôle optique, objectifs pour photo et cinéma, optique de reproduction, verres sphériques et plans pour emplois spéciaux.

Rohde & Schwarz, 8 München. In knapp vier Jahrzehnten wuchs die Firma Rohde & Schwarz aus bescheidenen Anfängen zu Europas größtem Hersteller elektronischer Meßgeräte, der in verschiedenen Werken rund 4000 Mitarbeiter beschäftigt. Das Lieferprogramm umfaßt heute neben Meßgeräten für alle Frequenzbereiche und Meßautomaten auch Normalzeitanlagen, UKW-Rundfunksender, Fernsehsender, Flugsicherungsanlagen, Großantennen und kommerzielle Sende- und Empfangsstationen, auch für Satelliten.

In a bare 40 years Rohde & Schwarz rose from modest beginnings to become the largest manufacturer of electronic measuring instruments in Europe, employing some 4,000 people. Besides measuring instruments for all frequency ranges, and automatic test assembly, the firm also produces standard time systems, VHF transmitters, TV transmitters, flight safety units, large antennae, and transmitters and receivers both for commercial stations and for satellites.

Il n'a pas fallu quatre décennies pour que Rohde et Schwarz, qui avait commencé modestement, se hisse à la tête des producteurs européens d'appareils de mesures électroniques et emploie 4000 ouvriers dans ses différentes usines. La firme livre des appareils de mesure pour les domaines de fréquences, des appareils de mesure automatiques, mais aussi des installation pour la mesure du temps normal, des émetteurs FM, des émetteurs de télévision, des installation d'infrastructure aérienne, des antennes importantes, des stations d'émission et de réception commerciales, voire des équipements pour satellites.

Ruser & Kuntner KG., 7858 Weil am Rhein/Baden. Gegründet von Friedrich Ruser 1922, weiterentwickelt von seinem Nachfolger Josef Kuntner. Das Unternehmen widmet sich der Entwicklung und Herstellung von modernen, gutgestalteten und lichttechnisch funktionsgerechten Wohnraumlampen. Der richtige Materialeinsatz rundet stets diesen Dreiklang zu einem harmonischen Ganzen ab.

Founded by Friedrich Ruser in 1922 and developed by his successor Josef Kuntner, the firm concentrates on the development and production of modern lamps combining pleasing functional design with sound lighting technique and the harmonious use of materials.

Fondée par Friedrich Ruser en 1922, l'entreprise fut agrandie par son successeur Josel Kuntner. Elle se consacre à la fabrication d'appareils d'éclairage pour la maison qui sont à la fois modernes, de forme agréable et fonctionnels. Un emploi intelligent du matériel complète cet accord parfait.

Sartorius-Werke AG., 34 Göttingen. Florenz Sartorius, Universitätsmechaniker des berühmten Chemikers Friedrich Wöhler, entwickelte vor hundert Jahren die ersten kurzarmigen Analysenwaagen, deren Präzision und Genauigkeit weltweites Aufsehen erregten. Auf dieser Pionierleistung beruht das Unternehmen, das 1870 gegründet wurde. Laborwaagen aus dem Hause Sartorius arbeiten in weit über 100 Ländern. Das Fertigungsprogramm umfaßt heute Analysenwaagen, Präzisionswaagen, elektronische Waagen und Sondergeräte.

A hundred years ago Florenz Sartorius, university mechanical assistant to the famous chemist Friedrich Wöhler, developed the first short-arm balance. Its accuracy and precision attracted world-wide attention. The firm, founded in 1870, was based on this invention, and Sartorius laboratory scales are now in use in well over 100 countries. Present production includes analytical balances, precision balances, electronic balances and other special apparatus.

Florenz Sartorius, qui était le préparateur universitaire du célèbre chimiste Friedrich Wöhler, mit au point il y a un siècle les premières balances d'analyse à fléau court, dont la précision et l'exactidude firent sensation. La firme Sartorius, née en 1870, fut fondée sur cette découverte; elle livre des balances de laboratoire dans plus de 100 pays. En outre, elle produit des balances d'analyse, des balances de précision, des balances électroniques et des appareillages spéciaux.

Siemag Feinmechanische Werke GmbH., 5904 Eiserfeld. Das Unternehmen entwickelte sich aus der Firmengruppe Siemag (die anderen Werke beschäftigten sich vorwiegend mit Schwermaschinenbau) und begann im Jahre 1948 mit der Produktion von Büromaschinen. Seit dem Jahre 1954 ist die Firma eine selbständige Gesellschaft, die sich auf die Herstellung von elektronischen Maschinen und Anlagen für die direkte Daten-Verarbeitung spezialisiert hat.

This firm was an offshoot of the Siemag Group, whose other members concentrated mainly on heavy machinery, and started in 1948 with the production of office machinery. Since 1954 it has been an independent company and now specializes in the manufacture of electronic data-processing machinery and installations.

Il s'gissait, au départ, d'une des branches du Groupe Siemag, dont les autres usines fabriquent surtout des machines lourdes; celle-ci commença en 1948 à produire des machines de bureau. Elle est devenue autonome en 1954, et s'est spécialisée dans la fabrication de machines électroniques et d'installations pour l'élaboration directe de données.

Siemens-Werke, 1 Berlin — 852 Erlangen — 8 München. 1847 von Werner Siemens und Johann Georg Halske gegründet, ist das Haus Siemens heute das größte deutsche Elektrounternehmen. Das Haus Siemens fördert auf allen Gebieten der Elektrotechnik die Gestaltung seiner Produkte. Die Abteilung Formgebung arbeitet ständig an einer Verbesserung der Erzeugnisse, deren Resultat nicht nur die formale Neukonzeption, sondern hauptsächlich eine bessere Beziehung des Menschen zum Gerät und zur Maschine sein soll.

Founded in 1847 by Werner Siemens and Johann Georg Halske, the Siemens Group is Germany's largest electrical engineering corporation. Siemens endeavour to give all of its products an attractive appearance. In its unceasing efforts to improve product forms, the Industrial Design Department is concerned not only with design innovation but also with improving the relation between man and machine.

Fondée en 1847 par Werner Siemens et Johann Georg Halske, la Groupe Siemens est aujourd'hui la plus grande entreprise électrique allemande. La société Siemens s'est toujours efforcée de doter tous ses produits d'un extérieur agréable. Son service «Esthétique industrielle» cherche constammement à améliorer non seulement la forme des appareils et des installations mais aussi et surtout les relations entre l'homme et le produit industriel.

Die Summa Feuerungen GmbH., 8676 Schwarzenbach/Saale, hat seit 1930 entscheidenden Einfluß auf die Entwicklung der Heiztechnik durch die Erforschung des künstlichen Raumklimas und die Entwicklung zahlreicher neuer Heizgeräte ausgeübt, von denen sie einen Teil selbst fabriziert. Auffallend ist aber besonders die Sorgfalt, mit der bei ihr alles von den Fabriken bis zu der Betriebseinrichtung und dem letzten Formular gestaltet ist.

Since 1930 this firm has had a decisive influence on the development of heating techniques through its research into air-conditioning the development of numerous new heating appliances, some of which are also manufactured. First-class design is evident not only in the firm's products but also in details of the factory equipment and furnishings, even in forms and other papers.

La Summa Feuerungen SARL a, depuis 1930, une influence considérable sur la technique calorifique grâce aux études qu'elle a effectuées sur la climatisation et à la mise au point de nombreux appareils de chauffage, dont elle fabrique une bonne part. Il est frappant de constater le soin que la firme met dans le moindre détail, du produit à l'équipement en passant par le plus petit formulaire.

J. A. Schmalbach AG., 33 Braunschweig. Größter kontinentaler Verpackungsmittelprodu- zent mit 22 Werken in allen Teilen der Bundesrepublik und in Österreich. Stammkapital DM 50 Mio. Verpackungen aus Feinstblech, Aluminium, Kunststoff, Folie, Wellpappe, Sila- por-Schaumkunststoff, kombinierten Materialien. Twist-off-Verschlußsystem. Umfassen- der Service.

Largest continental packaging manufacturer with 22 plants throughout the Federal Republic of Germany and Austria. Nominal capital DM 50 mil. Packaging made of black and tin plate, plastics, films, corrugated cardboard, Silapor-foamed plastics, composite materials, Twist-off-caps. Extensive service.

Le plus grand producteur d'emballages du continent, avec 22 usines réparties en Allemagne fédérale et en Autriche. Capital social DM 50 Millions. Emballages de fer blanc, aluminium, matières plastiques, feuilles en matière plastique, carton ondulé, mousses plastiques Silapor, matériaux combinés, couvercles Twist-off. Service étendu.

Schmidt & Co. KG., 583 Schwelm/Westfalen. Der Ursprung des Unternehmens geht auf das Jahr 1858 zurück. Die Herstellung konzentrierte sich zunächst auf die Drahtherstellung, wechselte gegen Ende des vorigen Jahrhunderts zur Blechbearbeitung über und speziali- sierte sich vor allem auf Möbelzierbeschläge. Diese Produktionserfahrungen bilden die Voraussetzung auch für die Herstellung von klar geformten Grillgeräten, die seit 1953 aufgenommen wurde.

The firm's origins go back to 1858. Concentrating at first on the production of wire, towards the end of the century the firm turned to sheet metal and began to specialize in ornamen- tal handles, knobs, etc. for furniture. This experience was valuable when in 1953 Schmidt & Co. started to produce well-designed grills.

L'origine de l'entreprise remonte à 1858. Elle s'est d'abord surtout consacrée à la fabri- cation de fil de fer, avant de se mettre, vers la fin du siècle dernier, à la production de tôles et de se spécialiser dans la décoration de meubles. Les expériences faites ont servi de base à des grills à la forme nette qui sont produits depuis 1953.

SHW Schwäbische Hüttenwerke GmbH., 7083 Wasseralfingen/Württ. Das Unternehmen kann auf eine jahrzehntelange Tradition im Maschinenbau zurückblicken. Das Werkzeug- maschinenprogramm konzentriert sich heute auf drei Universal-Werkzeugfräsmaschinen und ein Universal-Bohr- und Fräswerk. Die Rohteile werden in eigener Gießerei bzw. Freiform- und Gesenkschmiede hergestellt. Trotz ihrer Universalität besitzen die Maschi- nen einen hohen Grad von Genauigkeit, der einen breiten Anwendungsbereich sicherstellt.

The firm can look back on several decades of machine manufacture. Today production is concentrated on three universal tool-milling machines and a universal milling, drilling and boring machine. The basic parts (castings, forgings and drop-forgings) are made in the firm's own shops. Though universal in application, these machines have a high degree of precision so that they can be used for many different purposes.

Depuis des décennies, cette entreprise se spécialise dans la construction de machines- outils. Elle a aujourd'hui axé son programme sur trois fraiseuses universelles et une foreuse-fraiseuse universelle. Les pièces brutes sont fabriquées par la firme elle-même, qui les fond à l'estampage ou sans matrice. Le caractère universel de ces machines ne le empêche pas d'avoir une extrême précision, d'où leur vaste domaine d'utilisation.

Staff & Schwarz GmbH., 492 Lemgo. Staff Leuchten gibt es seit dem Jahre 1946. Eine zunächst nur handwerkliche Fertigung wurde zielstrebig und mit größter Sorgfalt zu einer bedeutenden industriellen Produktion ausgebaut. Das Staff-Leuchten-Programm enthält Modelle anerkannt guter und zeitgemäßer Form. Durch seine klare und kompromißlose Konzeption beeinflußte es in starker Weise die Entwicklung auf dem deutschen und internationalen Leuchtenmarkt. Staff-Leuchten kann man heute in Europa und in Übersee kaufen.

Staff lamps have been manufactured since 1946. The firm which began with hand manufacture was systematically developed to become an important industrial concern. Producing lamps which are recognized for their good contemporary design. Staff's clear and uncompromising concepts have strongly influenced lamp production both in Germany and abroad. Staff lamps are obtainable today in Europe and overseas.

Les appareils d'éclairage Staff existent depuis 1946. Leur production, artisanale au début, a été de manière conséquente et soigneuse, transformée en production industrielle. Le programme de l'entreprise se caractèrise par une forme à la fois moderne et agréable. Et sa conception, claire et hostile à tout compromis, a influencé de façon majeure l'évolution de la branche en Allemagne et en Europe. Les lampes Staff se trouvent aujourd'hui sur notre continent comme outre-mer.

Stuttgarter Gardinenfabrik GmbH., 7033 Herrenberg/Württemberg. Die 1934 gegründete Firma stellt moderne einfarbige, buntgewebte und bedruckte Vorhang- und Möbelbezugstoffe her. Sämtliche Entwürfe entstehen im eigenen Atelier, das unter Leitung der bekannten Entwerferin Antoinette Goltermann steht. „Stuttgarter Gardinen" zeichnen sich durch klar gezeichnete Musterung, auserwählte, aufeinander abgestimmte Farbgebung und durch die Verwendung hochwertiger Rohstoffe aus. Durch die Hinwendung zu einer hohen materiellen und formalen Qualität hat sich das Unternehmen einen weit über Deutschland hinaus bekannten Namen gemacht.

This firm was founded in 1934 and produces modern curtain and furnishing fabrics both in plain colours and with printed and woven patterns. All the designs come from the firm's own design department which is directed by the distinguished designer Antoinette Goltermann. "Stuttgart curtains" are noted for their clearly defined patterns and carefully selected colour-schemes as well as for the first-class materials used. Insistence on quality, both of material and design, has ensured the firm's reputation in Germany and abroad.

Cette firme, créée en 1934, fabrique des tissus pour rideaux et des étoffes de décoration en uni, en fils de couleurs différentes ou en imprimés. Tous les modèles en sont conçus dans l'atelier de la firme, qui est dirigé par la célèbre décoratrice Antoinette Goltermann. Les «rideaux de Stuttgart» se caractérisent par des dessins clairs, des coloris choisis et harmonieux, comme par l'utilisation des meilleures matières premières. Une forme et une tenue de haute valeur ont valu à l'entreprise un succès qui dépasse largement les frontières de l'Allemagne.

Telefunken AG., 715 Backnang und 1 Berlin. Am 27. Mai 1903 wurde die „Gesellschaft für drahtlose Telegraphie, System Telefunken" vom damaligen AEG-Chef Emil Rathenau und von Wilhelm von Siemens gegründet. Mit dem Bau von Großfunkstationen legten Telefunken-Ingenieure alsbald den Grundstein für ein weltumspannendes Funknachrichtennetz und haben damit dem Namen Telefunken Weltgeltung verschafft. Das heutige Fertigungsprogramm von Telefunken (im Jahre 1963 zur Aktiengesellschaft umgewandelt) reicht von der Schallplatte über Richtfunk-Systeme und Radaranlagen bis zur elektronischen Großrechenanlage.

The Telefunken-System Wireless Telegraphy Company was set up on 27 May 1903 by Emil Rathenau, then head of AEG, and Wilhelm von Siemens. The construction of large radio stations by Telefunken engineers laid the foundations not only of a world-wide news service but also of Telefunken's world-wide fame. Telefunken, which became a limited company in 1963, now produces goods ranging from gramophone records through radio link systems and radar to electronic computers.

Le 27 mai 1903, Emil Rathenau qui dirigeait alors l'AEG, fondait de concert avec Wilhelm von Siemens la «Société de Télégraphie sans fil, Système Telefunken». Les ingénieurs de Telefunken construisirent bientôt des émetteurs à grande puissance, jetant ainsi les bases d'un réseau de télécommunications universel et conférant au nom de leur firme la valeur d'un symbole. Le programme actuel de l'entreprise (devenue en 1963 société anonyme) va du disque jusqu'aux systèmes de faisceaux hertziens et aux installations de radar, ainsi qu'aux calculatrices électroniques.

Thonet AG., 3558 Frankenberg/Eder. Michael Thonet erfand nicht nur gegen Mitte des 19. Jahrhunderts den „Wiener Stuhl", sondern baute auf der Bugholzidee die erste industrielle Großserienfertigung von weltumspannender Bedeutung auf. Ferner wurden aus Bugholz gefertigt: Dekorative Parketts, Sofas, Schaukelstühle, Betten, Tische, Regale, Wiegen und verschiedenste Geräte. Um 1925 wurde nach Entwürfen bekannter Bauhausarchitekten mit der Herstellung von Stahlrohrmöbeln begonnen, von denen die sogenannten „Freischwinger" am bekanntesten wurden. Heute fertigt die Firma ein anspruchsvolles Programm traditioneller sowie moderner Holz- und Stahlrohrmöbel.

Michael Thonet not only invented the "Vienna chair" towards the middle of the nineteenth century, he also used bent-wood in the first series of mass-produced furniture to achieve world-wide recognition. This same material was used to produce decorative parquetry, as well as rocking-chairs, beds, sofas, shelves, tables, and many other articles. In 1925 the production of tubular steel furniture was started, based on designs of well-known Bauhaus architects. Today the firm produces a distinguished range of traditional and modern furniture in wood and in tubular steel.

Michael Thonet ne s'est pas contenté d'inventer vers les années 1850 le «siège viennois»; l'idée du bois ployé lui a permis de concevoir la première fabrication en série d'importance mondiale. On a construit, par la suite, en bois ployé, les objets les plus divers: parquets, divans, rocking-chairs, lits, tables, étagères, berceaux, etc. Dès 1925, grâce au concours d'architectes connus du Bauhaus, on mettait en route la fabrication de meubles en tubes, dont les «Freischwinger» sont aujourd'hui les plus répandus. L'entreprise a aujourd'hui un programme ambitieux, où voisinent les modèles anciens et nouveaux de meubles en bois et en tubes.

Vereinigte Farbenglaswerke AG., 8372 Zwiesel/Bayern. Gründung des Werkes 1870. Hergestellt werden Gebrauchs-, Zier- und Kunstgläser. Zusammen mit dem bekannten Designer H. Löffelhardt wurde ein marktgerechtes Formenprogramm entwickelt, das durch internationale Auszeichnungen, so u. a. mit einer Goldmedaille auf der Triennale Mailand und einer Ehrenurkunde auf der Weltausstellung Brüssel anerkannt wurde.

Founded in 1870. Produces utility, ornamental and art glass of all kinds. The well-known designer H. Löffelhardt has worked with this firm to develop a range of products many of which have received international awards, including a Gold Medal at the Milan Triennale and a Certificate of Honour at the Brussels World Fair.

L'entreprise, fondée en 1870, fabrique des verres de table et d'ornement ainsi que de la verrerie d'art. Elle a mis au point, avec le célèbre styliste H. Löffelhardt, un programme esthétique répondant aux besoins du marché qui lui a valu de hautes distinctions internationales — médaille d'or à la Triennale de Milan, par exemple, ou diplôme d'honneur à l'Exposition de Bruxelles.

Wanderer-Werke AG., 5 Köln-Deutz. Wanderer — seit 80 Jahren ein Begriff für Qualität — war einst Europas größtes Büromaschinenwerk. Weltbekannt durch die Wanderer-Continental-Schreib-, Rechen- und Buchungsmaschinen — durch Wanderer Werkzeugmaschinen, Automobile, Fahr- und Motorräder. Die Forschungs- und Entwicklungsarbeit des Unternehmens konzentriert sich heute auf die Datentechnik; ist führend mit einem Programm von Rechen-, Fakturier- und Buchungsautomaten auf elektronischer Basis für die automatische und direkte Datenverarbeitung.

For eighty years the name Wanderer has been a synonym for quality. Once Europe's largest manufacturers of office machinery, the firm gained a world-wide reputation through its "Continental" typewriters, adding and accounting machines and through Wanderer machine-tools, motor-cars, cycles and motor-cycles. Research and development is now focussed on data-processing techniques, and the firm leads the field in a programme comprising electronic calculating, billing and accounting machinery designed for direct automatic data-processing.

Wanderer, qui est synonyme de qualité depuis 80 ans, fut la plus grande fabrique de machines de bureau en Europe. Sa célébrité mondiale a été due aux machines comptables, aux machines à écrire et à calculer Wanderer-Continental, ainsi qu'aux machines-outils, aux automobiles, aux autos et aux vélos Wanderer. Les recherches et les travaux de l'entreprise se concentrent aujourd'hui sur la technique des informations; elle possède un programme impressionnant de machines électroniques à comptabiliser, à facturer et à calculer pour l'élaboration automatique et directe des données.

Max Weishaupt GmbH., 7959 Schwendi/Württemberg. Das 1932 gegründete Unternehmen stellt seit 1952 die bekannten Weishaupt-Monarch-Ölbrenner her. Das Produktions-Programm wurde seither durch neue Ölbrenner, Gasbrenner und Serien-Schaltschränke ergänzt. Dabei wurde Wert auf fortschrittliche Konstruktion in Leistung und Form gelegt. Die Produkte werden in zentralbefeuerten Heizungsanlagen und für verfahrenstechnische Wärmeprozesse eingesetzt.

Founded in 1932, since 1952 the firm has been producing the well-known Weishaupt Monarch oil furnace. Production has expanded to include other oil furnaces, gas furnaces and multi-circuit switch-cabinets. The products are noted for their modern construction and good design. Weishaupt furnaces are installed in centrally-fired heating systems and are used for heating processes in chemical engineering.

La firme, qui date de 1932, produit depuis 1952 les brûleurs à mazout Monarch qui ont popularisé le nom de Weishaupt. Elle n'a depuis cessé d'ajouter à son programme de nouveaux brûleurs à mazout ou à gaz ainsi que des armoires de commande, attachant une importance extrême au progrès dans la forme et le rendement. On utilise les appareils Weishaupt pour des installations de chauffage central et divers processus calorifiques.

Westa, Westdeutsche Waagenfabrik Freudewald & Schmitt, 56 Wuppertal-Ronsdorf. Gegründet: 1919 in Wuppertal. Die Firma ist spezialisiert auf die Herstellung von Haushalt-, Personen-, Wand- und Baby-Waagen, die alle schon seit langem in Europa und Übersee durch ihre hervorragende Gebrauchsform bekannt sind.

Established in Wuppertal in 1919, this firm specializes in all types of scales — kitchen scales, baby scales and weighing machines — whose exceptional practical design has earned a high reputation both in Europe and other countries.

Cette entreprise, fondée en 1919 à Wuppertal, s'est spécialisée dans les balances de cuisine ou murales, les pèse-personnes et les pèse-bébés. Depuis longtemps, la perfection de leur forme a fait leur succès.

Wilde & Spieth, 73 Eßlingen. Das Unternehmen besteht seit über 130 Jahren. Mit seinen modernen Stuhlkonstruktionen machte es sich seit 1949 einen weltbekannten Namen. In enger Zusammenarbeit mit Prof. Dr. Egon Eiermann, mit Designern und Architekten, wie Prof. Hirche, Frau Prof. Witzemann, Prof. Schneider-Esleben, Architekt Lünz, den Designern Bergmiller und Möckl entstanden Stuhlformen, die heute internationalen Ruf besitzen, vielfach preisgekrönt wurden und dem Begriff der „guten Industrieform" in weiten Kreisen zur Anerkennung verhalfen.

Established over 130 years ago, this firm has achieved world-wide recognition since 1949 for its modern chair production. The close collaboration of Prof. Dr. Egon Eiermann, together with designers and architects such as Profs. Hirche, Witzemann and Schneider-Esleben, the architect Lünz, and the designers Bergmiller and Möckl has produced chair designs of international repute, many of which have received awards. Wilde & Spieth chairs have helped to propagate the concept of sound industrial design.

Il s'agit d'une entreprise qui a été créée il y a plus de 130 ans et qui s'est assurée, depuis 1949, une réputation universelle grâce aux chaises modernes qu'elle construit. Le concours du Prof. Dr. Egon Eiermann, celui de stylistes et d'architectes tels que le Prof. Hirche, Mme. Witzemann, le Prof. Schneider-Esleben, M. M. Lünz, Bergmiller et Möckel, la firme a mis sur le marché des sièges dont le renom est consacré, qui ont été maintes fois primés et ont popularisé la notion de «forme industrielle» de qualité.

WMF — Württembergische Metallwarenfabrik, 734 Geislingen/Steige — 1853 gegründet — stellt für den Haushalt- und Gastronomiebedarf Bestecke und Tafelgeräte, Küchengeräte und Kochgeschirre, Zier- und Gebrauchsgläser sowie Kaffeemaschinen her. Es ist ein besonderes Anliegen der Firma, in die Qualität ihrer Erzeugnisse nicht nur erstklassige Verarbeitung und einwandfreies Material, sondern auch die zweckvolle gute Form einzubeziehen.

Established in 1853, this firm produces household and restaurant requirements, including cutlery, table and kitchen ware, cooking utensils, glassware of all kinds, and coffee-machines. The firm takes special pains so ensure that their products combine first-class workmanship and impeccable material with pleasing functional design.

Que le nom d'une usine fondée dès 1853 ne nous trompe pas; la WMF fabrique, pour le foyer et les restaurants, quantité, d'objets, des couverts aux plats, des mixers aux casseroles; elle produit également des verres pour la table de tous les jours ou celle des grands repas, ainsi que des cafetières. Cette entreprise tient particulièrement à joindre à une réalisation et des matériaux de premier ordre une forme éminemment fonctionnelle.

Hermann Zanker KG., 74 Tübingen-West. Dieses vor nahezu 80 Jahren gegründete Unternehmen gehört zur Spitzengruppe der Waschmaschinenindustrie in Deutschland. Seit 40 Jahren baut Zanker Trommel-Waschmaschinen. Klare Linien und der Verzicht auf überflüssige Verzierungen bestimmen das Gesicht der Zanker-Waschmaschinen, so daß diese mit Sicherheit auch noch nach Jahren dem Geschmack der Verbraucher entsprechen werden.

This firm, established nearly eighty years ago, is among the top manufacturers of washing machines in Germany and has been producing the Zanker rotary washing machine for the past forty years. The clean lines and the abscence of superfluous ornamentation which characterize the machines ensure their timelss design and pleasing appearance after years of use.

Cette entreprise, qui fut fondée il y a près de 80 ans, est une des premières en Allemagne pour la production des machines à laver. Zanker construit des machines à laver à tambour depuis 40 ans. Leurs lignes sobres, l'absence de tout enjolivement superflu caractérisent la physionomie des machines Zanker; celles-ci seront, on peut en être assuré, au goût du client de demain de même qu'elles plaisent aujourd'hui.

Carl Zeiss, 7082 Oberkochen. 1846 gründete der Mechaniker Carl Zeiss (1816—1888) in Jena eine Werkstätte für die Herstellung von Mikroskopen und verband sich ab 1866 mit dem Physiker Ernst Abbe, der 1875 sein Teilhaber wurde. Nach dem Tode von Zeiss erwarb Abbe dessen Geschäftsanteile und übertrug 1889 seinen Besitz an die von ihm gegründete Carl-Zeiss-Stiftung, deren zweiter Betrieb das Glaswerk Schott & Gen. ist. Beide Werke verlegten seit 1946 ihren Sitz nach West-Deutschland, Carl Zeiss nach Oberkochen. Dort und in den Zweigwerken Aalen und Göttingen werden die weltbekannten, für Wissenschaft und Technik unentbehrlichen optisch-physikalischen Präzisionsinstrumente und -geräte gefertigt.

In 1846 the mechanical engineer Carl Zeiss (1816—88) started a workshop in Jena for the manufacture of microscopes. In 1866 he was joined by the physicist Ernst Abbe, who became his partner in 1875. After Zeiss's death, Abbe, who had inherited his share of the partnership, transferred his holdings to the Carl Zeiss Foundation he had instituted, which has the Schott & Gen. glassworks as its subsidiary. Since 1946 both factories have been in W. Germany, the Zeiss factory now being established in Oberkochen. Both here and in the branch works at Aalen and Göttingen are produced the world-famous Zeiss precision instruments and apparatus for optics and physics which have become indispensable to science and technology.

En 1846, le mécanicien Carl Zeiss (1816—1888) fondait à léna un atelier pour la fabrication de microscopes; il s'allia à partir de 1866 avec le physicien Ernst Abbe, qui devint son associé en 1875. Après la mort de Zeiss, Abbe fit l'acquisition des parts du défunt; il devait les laisser en 1889 à une fondation Carl Zeiss qu'il avait créée, et dont les Verreries Schott et Gen. dépendent également. Ces deux usines transférèrent leur siège en Allemagne Occidentale en 1946, la firme Carl Zeiss s'installant à Oberkochen. Dans cette localité, ainsi que dans les filiales d'Aalen et de Göttingen, on produit des appareils et des instruments optiques de précision, indispensables à la science et à la technique, et dont il n'est plus besoin de faire l'éloge.

Hubert Zettelmeyer, 5503 Konz bei Trier. Die Maschinenfabrik — um die Jahrhundertwende in Konz bei Trier gegründet — gehört zu den führenden Herstellern von Straßenbaumaschinen. Das Produktionsprogramm dieses in seinem Spezialfach wohl modernsten Unternehmens umfaßt Schaufellader, Vibrations- und Statische Walzen — Maschinen, die sich durch Zuverlässigkeit, Wirtschaftlichkeit und gute Gestaltung auszeichnen.

Established at the turn of the century in Konz near Trier, this firm is one of the leading manufacturers of road construction machines. Among the products of this works, which is recognized as the most modern in this special field, are loading shovels, vibratory and static rollers. The machines combine reliability and economy with good design.

La fabrique de machines Zettelmeyer, fondée vers 1900 aux environs de Trèves, a une position prédominante dans la construction des routes. Son programme spécialisé embrasse des pelleteuses, des rouleaux statiques et des compresseurs à vibration — toutes machines qui se distinguent par leur solidité, leur fonctionnement économique et une réelle élégance.

Theodor Zoepel, 4 Düsseldorf. 1919 wurde die Firma Theodor Zoepel in das Handelsregister Düsseldorf eingetragen. 1962 umgegründet in eine KG., befaßt sich die Firma seither mit der Herstellung und dem Vertrieb von gutem Bürogerät, vornehmlich aus Kunststoff. Die von der Form und Funktion her sehr anspruchsvollen Modelle haben sich rasch auf dem deutschen und euopäischen Markt durchgesetzt. Zur Zeit wird außer in Deutschland noch in Österreich und in England produziert.

The firm of Theodor Zoepel was first registered in Düsseldorf in 1919. This firm, which became a limited partnership (KG) in 1962, is now engaged in the manufacture and sale of high-quality office equipment, principally in plastic. The models produced combine a high standard of design with utility and soon established a reputation for quality and reliability in the home market and throughout Europe. Zoepel equipment is now produced in England and Austria as well as in Germany.

En 1919, la firme Theodor Zoepel était inscrite au Registre du Commerce de Düsseldorf. Transformée en Société par commandite en 1962, elle se consacre depuis à la fabrication et à la vente d'un matériel de bureau de qualité, essentiellement réalisé en matières plastiques. Ses modèles, dont l'ambition s'étend à la fois à la forme et à la fonction, se sont rapidement répandus sur tout le continent, en Allemagne comme ailleurs; on les produit également en Autriche et en Angleterre.

Fotonachweis — Index of Photographs — Origine des illustrations

S./p. 74, 75, 80, 88, 89, 90, 105, 118, 123, 124, 126, 129, 146, 154, 164, 174, 175, 178 Sophie-Renate Gnamm, München; S./p. 76, 77, 81, 82, 85, 128 Willi Moegle, Oberaichen; S./p. 79 Gerd Böhrer, Rückersdorf; S./p. 84 Heidersberger, Braunschweig; S./p. 86 Dr. Rathschlag, Köln; S./p. 91 Gabriele Walther, Frankfurt/Main; S./p. 101 Deyhle, Rottenburg; S./p. 108 Robert Göllner, Frankfurt/Main; S./p. 114, 117 Benno Keyßelitz, Ambach am Starnberger See; S./p. 115, 116 Juliette Lassere, Hamburg; S./p. 125 Foto Seekamp, Bremen; S./p. 127 Sigrid Neubert, München; S./p. 131 Hans Georg Göllner, Frankfurt/Main; S./p. 132 Foto Zwietasch, Kornwestheim; S./p. 161, 182, 187 Wolfgang Siol, Neu-Ulm; S./p. 183 Hans Wilder, Göttingen; S./p. 197 Karl Bitterling, Hamburg; S./p. 201 Reinhold Palen, Frankfurt/Main; S./p. 203 Herbert Lindinger, Ulm; S./p. 218 Haarfeld, Heilbronn; S./p. 219 Hermann Weishaupt, Stuttgart; S./p. 237 Heinzhorst Neuendorff, Baden-Baden; S./p. 78, 83, 87, 92, 93, 94, 95, 96, 97, 98, 99, 100, 102, 103, 104, 106, 107, 109, 110, 111, 112, 119, 120, 121, 122, 130, 133, 134, 135, 136, 138, 139, 140, 141, 142, 143, 144, 145, 147, 148, 149, 150, 151, 152, 153, 155, 156, 157, 158, 160, 162, 163, 165, 166, 167, 168, 169, 170, 171, 172, 176, 177, 179, 180, 181, 184, 185, 186, 188, 189, 190, 191, 192, 194, 195, 196, 198, 199, 200, 201, 204, 205, 206, 207, 208, 209, 210, 211, 212, 213, 214, 215, 216, 220, 221, 222, 223, 224, 225, 226, 227, 228, 229, 230, 231, 232, 233, 234, 235, 236 Werkfotos bzw. von den Herstellerfirmen zur Verfügung gestellt — Photos from firms — Photos des firmes